버릴래? 말래?

셀프헬프 "나다움을 찾아가는 힘"
self·help
시 리 즈
사람들은 흔히, 지금의 내가 어제의 나와 같은 사람이라고 생각한다. 이것만큼 큰 착각이 또 있을까? 사람은 매 순간 달라진다. 1분이 지나면 1분의 변화가, 1시간이 지나면 1시간의 변화가 쌓이는 게 사람이다. 보고 듣고 냄새 맡고 말하고 만지고 느끼면서 사람의 몸과 마음은 수시로 변한다. 그러니까 오늘의 나는 어제의 나와는 전혀 다른 사람이다. 셀프헬프self·help 시리즈를 통해 매 순간 새로워지는 나 자신을 발견하길 바란다.

나를 돕는 미니멀 라이프

버릴래? 말래?

초판 1쇄 발행 2024년 6월 8일   지은이. 이지민
                                    펴낸이. 김태영

씽크스마트 책 짓는 집   홈페이지. www.tsbook.co.kr
경기도 고양시 덕양구 청초로66   블로그. blog.naver.com/ts0651
덕은리버워크 지식산업센터 B-1403호   페이스북. @official.thinksmart
전화. 02-323-5609   인스타그램. @thinksmart.official
                                    이메일. thinksmart@kakao.com

ISBN 978-89-6529-407-8 (13810)
ⓒ 2024 이지민

*씽크스마트 - 더 큰 생각으로 통하는 길
'더 큰 생각으로 통하는 길' 위에서 삶의 지혜를 모아 '인문교양, 자기계발, 자녀교육, 어린이 교양·학습, 정치사회, 취미생활' 등 다양한 분야의 도서를 출간합니다. 바람직한 교육관을 세우고 나다움의 힘을 기르며, 세상에서 소외된 부분을 바라봅니다. 첫 원고부터 책의 완성까지 늘 시대를 읽는 기획으로 책을 만들어, 넓고 깊은 생각으로 세상을 살아갈 수 있는 힘을 드리고자 합니다.

*도서출판 큐 - 더 쓸모 있는 책을 만나다
도서출판 큐는 울퉁불퉁한 현실에서 만나는 다양한 질문과 고민에 답하고자 만든 실용교양 임프린트입니다. 새로운 작가와 독자를 개척하며, 변화하는 세상 속에서 책의 쓸모를 키워갑니다. 흥겹게 춤추듯 시대의 변화에 맞는 '더 쓸모 있는 책'을 만들겠습니다.

*천개의마을학교 - 대안적 삶과 교육을 지향하는 마을학교
당신은 지금 무엇을 배우고 싶나요? 살면서 나누고 배우고 익히는 취향과 경험을 팝니다. 〈천개의마을학교〉에서는 누구에게나 학습과 출판의 기회가 있습니다. 배운 것을 나누며 만들어진 결과물을 책으로 엮어 세상에 내놓습니다.

자신만의 생각이나 이야기를 펼치고 싶은 당신.
책으로 사람들에게 전하고 싶은 아이디어나 원고를 메일(thinksmart@kakao.com)로 보내주세요.
씽크스마트는 당신의 소중한 원고를 기다리고 있습니다.

버릴래? 말래?

이지민 지음

"버릴래?
　　　말래?"

미니멀 라이프를 시작하고 나서 지금까지 저 스스로
에게 가장 많이 한 질문입니다. 처음에는 이 질문이 너
무 힘들었어요. 이 간단한 질문으로 지금까지 나와 함
께 한 물건들을 바로 쓰레기통에 버려야 한다는 사실이
참 어려웠습니다. 그래서 이 질문에 대한 답을 회피하
기 위해 안 보이는 곳에 물건을 처박아 두기도 하고, 또
버리지 말고 다시 잘 사용해 보자고 제 자신에게 여러
번의 기회를 주기도 했습니다. 하지만 머릿속에서는 이
질문이 떠나지 않더라고요. 버리기를 주저했던 그 물건
을 볼 때마다 해결되지 못하고 남겨진 과제처럼 또다시
나타나 저에게 묻습니다.

"버릴래? 말래?"

정말 간단한 질문이지만 간단히 대답하기엔 어려운 질문입니다. 우리가 이 질문에 대한 대답이 어려운 이유는 물건 하나하나에 우리의 수많은 욕망이 담겨 있기 때문입니다. 그래서 나의 진짜 마음을 보기가 어려운 거예요. 그러니 버릴지 말지 주저하게 됩니다. 저뿐만 아니라 사람이라면 누구나 무언가를 하고 싶고, 갖고 싶고, 목표를 달성하고 싶은 등 수많은 욕망을 안고 살아가죠. 우리 집에 놓여 있는 물건들은 이러한 욕망이 응축된 결과라고 할 수 있습니다. 그러나 우리는 자라면서 사회가 원하는 욕망과 부모님이나 선생님 혹은 가까운 사람들이 기대하는 욕망이 나도 모르게 내 안에 서서히 스며들어, '나의 진짜 욕망'이 무엇인지 알지 못한 채 살아갑니다. 여기서 말하는 나의 진짜 욕망은 나만이 알고, 느낄 수 있는, 말 그대로 내가 나로서 존재하게 하는 나만의 순수한 에너지를 의미합니다.

저 역시 마찬가지였습니다. 누구의 욕망인지 구분하지 못하고 서로 엉겨 붙어 형체를 알 수 없는 큰 덩어리 같았던, 내 안의 온갖 욕망이 담긴 물건 더미에 파묻혀 살았습니다. 분명 내가 필요하다고 생각해서 구매한 물건이지만 돌아보면 결국 남이 좋다고 한 물건, 남들이 보기에 좋아 보이는 물건을 구매하고 있었죠. 오랜 세월 동안 어떤 것이 나의 진짜 욕망인지 알지 못한 채 살아왔기에 무엇을 비워내야 하는지, 무엇을 가지고 살아야 하는지에 대한 확신이 서지 않았습니다.

"버릴래? 말래?"

이 두 질문은 가까운 듯 보이지만, 우리의 욕망을 꺼내어 요리 보고 조리 보고 뜯어보고 씹어봐야 하는 시간만큼 꽤 먼 거리에 존재합니다. 처음에는 이 두 질문 사이의 길을 제대로 찾지 못해 다시 돌아오기도 하고 길을 헤맬 때도 있습니다. 하지만 그렇게 한 번, 두 번 완주하고 반복해서 나만의 길을 만들고 또 걷다 보면 즐거운 순간도 꽤 많습니다.

그래서 미니멀 라이프가 단순히 물건을 비우는 행위가 아닌 나만의 길을 만드는 일이라는 생각이 듭니다. 저는 미니멀 라이프를 통해 비로소 나의 욕망과 다른 이들의 욕망을 구분하여 불필요한 욕망들을 비워내고, 그리고 남은 진짜 욕망을 찾아 이해하고 수용하여 더욱 뾰족하게 만들어 갔습니다. 그렇게 군더더기들을 비웠더니 남은 순수한 나의 욕망들은 하나의 작은 알맹이,

하나의 점이 되더군요. 꽤 많은 물건을 비우는 과정을 반복하며 만든 점들이 모여 연결되면서 결국 내가 살아가고 싶은 삶의 모습이 선명하게 그려졌습니다.

　욕망과 취향이 뾰족해질수록 살고 싶은 인생의 모습이 선명해졌습니다. "버릴래? 말래?" 이 질문 사이에서 내 인생에서 무엇이 중요한지, 내가 무엇을 원하는지 끈질기게 질문을 던지게 하는 이 미니멀 라이프는 저만의 욕망을 찾아내어 제가 나아가고자 하는 삶의 방향을 알려주었습니다.

　이렇게 자신의 욕망을 찾고 선명하게 만들어 가는 여정은 중요합니다. 나의 욕망과 더불어 나와 함께 살아가는, 사랑하는 이들의 욕망을 이해하는 과정이 되기도 하니까요. 하지만 가족들과 함께 미니멀 라이프를 하기 힘들다고 하는 분이 많습니다. 저 또한 신랑과 미니멀 라이프에 대한 견해 차이가 꽤 있으니까요. 저는 이것을 미니멀 라이프에 대한 의견 차이이기 이전에 서로의 욕망 차이라고 생각합니다. 그래서 나의 욕망을 이해하고 받아들이는 과정을 통해 신랑의 욕망을 제대로 보고, 이해하고, 수용하는 힘을 길렀습니다. 나도 상대방도 행복해지는 순간은 서로의 욕망이 공존했을 때임을 깨달았기 때문입니다.

결국 "버릴래? 말래?"라는 물음은 "너는 어떻게 살고 싶니?"라는 물음에 가깝습니다. 저는 이 물음을 시작으로 진짜 나의 욕망을 찾고 비로소 주체적이고 행복한 일상을 만들어 갈 수 있었습니다. 물론 삶의 모습이 다양하듯 미니멀 라이프에도 여러 형태가 있습니다. 제가 말하는 삶의 방식 또한 그 모습 중 하나일 뿐입니다. 다만 이 책을 선택한 당신이 저의 미니멀 라이프를 보고 '이 정도의 미니멀 라이프라면 나도 한번 해볼 만하겠는데?' 하는 가벼운 마음이 들었으면 좋겠습니다. 그것이 제가 이 책을 쓰는 이유이자 의미니까요.

chapter 1. 비움 ·····························

chapter 2. 채움 ••••••••••••••••••••••••••

CHAPTER 1.

비움

미니멀
라이프를
시작한 이유

아직도 잊을 수 없는 5년 전 10월의 어느 날. 어김없이 저의 유일한 취미생활이었던 집 안 정리 정돈을 하고 있었습니다. 참고로 저는 청소와 정리를 좋아하는 편입니다. 아니, 편이었습니다. 지금은 가능하면 청소와 정리하는 시간을 줄이려고 하지만요. 그날도 좋아하는 정리와 청소를 끝내고, 커피를 마시면서 정리된 집을 둘러보다 문득 책장에 꽂힌 한 권의 책에 시선이 멈췄습니다. 언제 구매했는지 알 수 없었지만, 예쁜 걸 참 좋아하는 제가 선택했을 법한 '작고 사랑스러운' 미니멀 라이프 책이었습니다.

그렇게 책을 꺼내 들어 읽는 내내 이렇게 가볍게 살

면, 캐리어 하나에 나의 모든 물건을 담아 평생 여행하듯이 살아가는 삶도 가능할 것 같다는 생각이 들더군요. 그 장면을 머릿속으로 상상하니 마음속 깊이 행복이 차오르는 듯했습니다. 아마도 저의 미니멀 라이프는 이때부터 시작된 게 아닐까요?

그 후로 저는 미니멀 라이프에 빠져, 한동안 그와 관련한 책을 찾아 읽었습니다. 그러다 발견한 식료품에 적힌 유통기한을 확인하라는 어느 책 속의 문구 하나가 제 인생을 바꿔놓았습니다. 왜냐하면 '라면에도 유통기한이 있었나?' 고개를 갸우뚱하며, 곧장 식료품 선반으로 달려가 유통기한을 확인하고는 놀라지 않을 수 없었으니까요. 충격적이게도 저희 집 라면의 유통기한은 무려 2년을 넘기고 있었습니다. 왜 아무도 저에게 라면의 유통기한이 고작 6개월밖에 되지 않는다고 알려주지 않았을까요? 그 옆에 있던 김밥 김의 유통기한은 무려 4년 전의 날짜를 가리키고 있었습니다. 나름 자취 경력 10년 차임에도 이런 단순한 부분 하나 점검하지 못하고 있었다는 사실이 믿기지 않았습니다.

4년 전이라면 그사이 이사를 두 번이나 했고, 그 두 번 중 한 번은 바로 몇 주 전이었는데, 도대체 왜 그때도 저의 피 같은 돈을 이삿짐센터에 지불하면서까지 이 쓰레기들을 바리바리 싸 들고 왔을까요? 그리고 지금도

이 쓰레기들을 이렇게 집 안 한 편에 고이고이 모셔 두고 매일같이 정리하고, 청소하고 있었다고 생각하니 헛웃음이 나왔습니다.

이렇게 제가 처음 버리자고 결심한 것이 바로 유통기한이 지난 물건들이었습니다. 저는 그날 저녁, 유통기한이 지난 모든 식재료를 버렸습니다. 평소 라면을 즐겨 먹지 않고 김밥 김이나 라이스페이퍼 같은 것은 정말 특별한 날에만 찾아 먹는 것이라고, 그래서 유통기한을 넘긴 거라 스스로를 위로했지만, 버릴 물건을 모아놓고 보니 예상보다 상태가 심각해 절로 한숨이 나왔습니다.

화장품에도 유통기한이 있었습니다. 선물 받은 것, 여행 가서 그 나라에서 유명하다고, 반드시 사야 하는 물건이라고 해서 사 온 것, 공짜 샘플들, 어느 뷰티 프로그램에서 1위 한 상품이라고 해서 구매했지만 결국 내 피부에 맞지 않아 몇 번 쓰지 않고 고이 모셔 둔 화장품들의 유통기한을 모두 확인했습니다. 그랬더니 1/4 정도만 남았습니다. 유통기한이 지나지 않았지만, 앞으로도 쓸 일이 없을 것 같은 화장품도 함께 정리한 결과였습니다. 결국 이렇게 비우게 될 것을 그동안 왜 그렇게 이고지면서 살고 있었을까요.

5년 전 집에 있는 모든 화장품을 모아둔 것

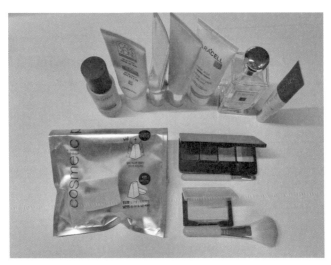

5년 전 비우고 정리한 후 남긴 화장품들

현재는 색조화장을 하지 않아 색조화장품은 다 비우고 남은 현재 화장품들(왼쪽부터) 수분크림, 선크림, 톤업크림 두 개, 향수, (아래) 아이브로펜슬, 립틴트, 립밤

　이렇듯 저의 미니멀 라이프는 가볍고 홀가분한 인생을 살고 싶다는 멋진 가치에서 출발한 것은 아니었습니다. 다만 쓰레기와 함께 살고 싶지 않다는, 조금은 절박한 욕망에서 시작했습니다. 또 지금까지 쓰레기를 쓰레기인 줄 모르고 보관하고 관리하느라 낭비한 제 인생이 아깝다는 생각도 들었습니다. 그리하여 저는 그날 쓰레기를 위해 나의 시간과 에너지를 쓰지 않겠다고 마음속 깊이 새겼습니다.

언젠가
쓰겠다는
말의 진실

    찬찬히 제 방을 둘러봤습니다. 유통기한이 지난 물건들처럼 또 어딘가 쓰레기가 있지 않을까 의심 가득한 눈초리로 말이죠. 사실 저는 지금까지 '물건을 비운다'는 개념 자체를 가져본 적이 없었습니다. 그런 제가 시간을 내서 고민하고 발품을 들여 구매한 물건들, 소중한 사람과 주고받은 추억이 깃든 물건을 한순간에 쓰레기일지도 모른다고 의심하며 바라보는 건, 저에겐 슬픈 일이자 큰 도전이었습니다. 물건들이 알아서 "나는 쓰레기요!" 하고 손들고 나와 주면 좋겠다는 이상한 상상을 할 만큼 저에게는 힘든 일이었습니다.

    그때 저의 시선을 사로잡은 아이가 있었으니, 바로

베란다에 둔 이 빠진 접시였습니다. 안타깝게도 더는 음식을 담지 못했지만, 버리긴 아까워 보관해 두었던 것입니다. 더욱이 어린 시절 엄마가 화초를 키우시며 이러한 접시를 화분 받침대로 사용하시는 모습을 보며 자랐습니다. 그로 인해 자연스레 나도 언젠가는 엄마처럼 식물 키우기를 즐기게 될지도 모른다고 상상한 듯했습니다.

접시뿐만이 아니었습니다. 낡은 옷은 외출할 때 입지 못한다면 집에서 입으면 된다고 생각했습니다. 이처럼 저는 산산조각이 난 그릇 또는 험하게 찢겨 수선이 불가능한 옷 정도는 돼야 버렸습니다. 한마디로 저에게 물건이란, 완전히 쓸모가 없어진 물건들을 제외하고는 재활용해서 쓰는 것이었어요. 그렇게 보고 배웠기 때문입니다.

어린 시절을 회상하며 물끄러미 이 빠진 접시를 바라보다 문득 부모님으로부터 독립한 이후, 저는 집에서 식물을 키워본 적이 없다는 다소 충격적인 사실을 떠올렸습니다. 비로소 엄마의 욕망과 저의 욕망을 구분할 수 있었습니다. 물론 저 또한 언젠가는 식물을 즐겨 키우며 화분 받침대로 사용할 이 빠진 접시가 필요할지도 모릅니다. 하지만 적어도 언제가 될지도 모르는 그때를 위해 지금부터 보관하고 있을 이유가 없었습니다. 더군다나 한 번도 화분을 제 돈으로 구매해 본 적이 없는 저라면 더더욱 말이죠.

그제야 이 빠진 접시를 비워내며 집 안에 있는 물건 하나하나를 들여다보기 시작했습니다. 물건의 본래 쓰임의 용도와 제 일상에서 그 쓰임을 얼마나 잘 활용하고 있는지 점검했습니다.

다음으로 수북이 쌓인 나무젓가락과 플라스틱 숟가락이 제 눈에 들어왔습니다. 언젠가 쓸 때가 있을 거라고 들어오는 대로 다 모아두었지만, 정작 몇 번 이용하지 않았습니다. 게다가 여기저기서 받은 쇼핑백과 비닐봉투도 저장장소가 터져 나갈 만큼 쌓여 서랍이 제대로 닫히지 않을 지경에 이르렀지만, 사실 이렇게 많은 종이가방과 비닐은 저에게 필요가 없었습니다. 혼자 살면서도 몇 개씩이나 되던 프라이팬과 냄비는 늘 사용하는 것만 사용하기에 그렇게 많은 양이 나에게 필요하지 않다는 것도 깨달았습니다.

지금까지 한 번도 가지지 못했던 시선으로 바라보니 집은 완전히 새로운 공간이 되었고, 물건 하나하나는 지금까지와는 다른 의미를 가지게 되었습니다. 그 과정에서 다음과 같은 구체적이고도 명확한 답을 요구하는

결혼하고 처음 시도해 본 허브 키우기. 아직은 화분 받침대가 필요하지 않습니다만, 언젠가 화분 받침대가 필요한 날이 온다면, 그때는 이 빠진 접시가 아닌 제대로 물 빠짐 기능을 하는 화분 받침대를 구매할 계획입니다.

물음을 계속 던졌습니다.

나는 이 물건을 언제, 어떻게, 어떤 이유로 가지게 되었지?

나는 이 물건을 현재 얼마나 잘 사용하고 있지?

나는 이 물건이 이만큼의 양이 필요할까?

나는 이 물건을 지금 사용하고 있지는 않지만 앞으로 언제, 어떤 이유로 사용할까?

그랬더니 어떤 물건이 쓰레기인지 아닌지 의심의 눈으로 흘겨보지 않아도, 마주 앉아 솔직하게 대화하다 보니 조금은 안심이 되었습니다. 물건과의 대화는 곧 자신과의 대화였습니다. 그 물건이 이곳에 존재하는 것은 저의 선택과 결정의 결과이기 때문입니다. 그렇게 저는 미니멀 라이프를 통해 '나'라는 사람을 알아가는 대화를 시작했습니다.

내가 좋아하는
물건은 나를
행복하게 해주지 않았다

미니멀 라이프를 시작하면서 자주 접하는 문장이 하나 있습니다. 미니멀 라이프의 대모, 곤도 마리에의 "내가 좋아하고 설레는 물건만 곁에 둬라."라는 말입니다. 사실 저는 이미 제가 무엇을 좋아하는지 잘 알고, 그래서 집에는 제가 좋아하는 것들이 가득하다고 자부했었습니다.

제가 좋아하는 작고 예쁜 소품들이 선반에 진열되어 있었고 더 이상 CD로 음악을 듣지는 않았지만, 인테리어용으로 거실에 놓아둔 CD 플레이어와 스피커, 그리고 CD음반들을 보고 있으면 마치 제가 음악을 즐겨 듣고 빈티지 한 멋을 즐기는 멋진 사람이 된 것 같았습니다. 빽빽하게 책꽂이에 꽂혀 있는 책들을 보고 있으면 이미 지식이 풍부하고 똑똑한 사람이 된 것 같은 기분도 들었습니다. 옷을 좋아해서 평생 로망이었던 방 하나를 드레스 룸으로 만들고, 그 방을 다 채울 정도로 옷이 넘쳐났습니다. 이 드레스 룸을 보고 있으면 마치 제가 드라마 속 주인공이 된 것 같은 기분이 들었습니다. 책장 옆에 쌓여 있는, 몇 년째 써오던 스케줄 노트들은 지금까지 열심히 살아온 제 모습을 보여주는 것 같아 보고만 있어도 뿌듯했습니다. 또 하고 싶은 일들을 스케줄 노트에 틈틈이 적어왔기에 언젠가는 그 멋진 일들을 하고 있을 나 자신을 그려 보기도 했죠.

물건들에 둘러싸인 제가 행복하다고 생각했습니다. 하지만 문득 이것은 불안한 행복이라는 생각이 들었습니다. '진짜 나는 그렇지 않은데, 그럴싸해 보이는 사람으로 만들어주는 물건으로 가짜 행복을 만들고 있는 건 아닌가?'라는 생각이 들었기 때문입니다. 저를 그럴싸한 사람으로 만들어주는 대신 그 대가로 물건들을 관리하고, 정리하고, 청소하는 데 저의 시간과 에너지를 들여야 했습니다.

더는 사용하지 않음에도 CD 플레이어 위를 매일 닦아줘야 했고, 예쁘고 작은 소품들은 매일 먼지를 털어주고, 닦아주고, 재배열해야 했습니다. 가끔 귀찮아서 며칠 미루고 나면 먼지가 쌓여 재채기가 나기도 했습니다. 매일 다른 옷을 입고 나가기 위해 아침에 옷장 앞에서 많은 시간을 보냈고, 옷을 좋아한다는 명분으로 옷 쇼핑에 많은 시간과 돈을 쓰고 있었습니다. 그럼에도 입을 옷이 없어 늘 부족한 느낌이 들었습니다. 쌓여 있는 다이어리에는 하고 싶은 일들을 빼곡히 적어 두긴 했지만 정작 일하고 와서는 피곤하다는 이유로, 또 주말에는 다음 주에 일하기 위한 에너지를 충전해야 한다는 이유로 계속 미루고 있었습니다.

"과연 내가 좋아하는 물건들이 나를 행복하게 해주고 있나?"

제가 원하는 삶은 넘쳐나는 옷 앞에서 늘 부족하다는 느낌으로부터 벗어날 수 없는 인생이 아니었고, 사용하지도 않는 물건들을 위해 쓸고 닦는 데 나의 에너지와 시간을 보내고 싶은 인생도 아니었습니다. 더불어 다이어리에 빼곡히 적힌, 하고 싶은 일 리스트를 보면서 그것을 위해 어떤 행동도 하지 않고 갖은 핑계를 대며 도전은커녕 시도조차 하지 않는 인생은 더욱더 살고 싶지 않았습니다. 무엇보다 저를 행복하게 해주지 않는 물건들을 위해 저의 시간과 에너지를 쓰면서 살고 싶지 않았습니다.

비우는 것은
버리는 것이
아니다

한 번도 버려야 한다는 생각을 해본 적이 없던 제가 물건을 비우는 건 절대 쉬운 일은 아니었습니다. 제가 물건을 비워 내기로 결심했던 순간은 어쩌면 물건은 내 품을 떠난다고 버려지는 것이 아닌, 그 물건이 필요하고 더 잘 사용할 수 있는 누군가에게 돌아갈 수도 있다는 '순환의 개념'을 인식하고 부터였습니다.

미니멀 라이프를 시작하고 옷과 신발을 비움하기 위해 플리마켓에 참여했습니다. 일상에서 사용하던 물건들 중 사용하지 않는 물건들을 매매하고 교환한다는 취지의 플리마켓이었습니다. 신발장에서는 애물단지 취

플리마켓에서 내어놓은 물건들

급을 받던 신발들이, 옷장에서는 지겨워서 잘 입지 않아 짐짝 취급을 받던 옷들이 다른 누군가에게는 새롭고 가지고 싶은 신발과 옷이 되는 모습을 직접 보고 나니 물건의 선순환 효과에 확신을 갖게 되었습니다.

나에게는 필요 없어진 물건이지만 필요한 누군가에게 돌아간다는 생각으로 옷과 가방은 아름다운 가게로, 책은 온라인 중고 샵으로, 가구는 동네 주민들에게 물건을 순환시켰습니다. 요즘엔 '당근'이라는 좋은 중고 거래 앱도 생겨서 물건을 순환시키기 참 좋은 시대인 것 같습니다.

그렇게 저는 비우고 또 비워냈어요. 5년 동안 정말 많은 물건을 비워냈습니다. 물건은 버리는 것이 아닌 순환하는 것이라는 생각으로 말입니다. 그렇게 가벼운 마음으로 물건을 비웠더니 물건도 순환하고 제 인생도 점점 순환했습니다.

비울 때
망설임을 해결하는
완벽한 방법

비움이 힘든 이유는 여러가지가 있겠지만 비울까 말까 '망설이는 선택의 순간'이 싫어서 이기도 합니다. 이건 꼭 물건에 한정된 것은 아닙니다. 우리는 인생에서 정말 많은 고민들을 하고 살죠. 선택의 기로에서 이 길로 갈까, 저 길로 갈까 망설이게 됩니다. 우리는 그런 고민을 굳이 물건에서까지 하고 싶지 않을지도 모릅니다. 그래서 눈에 보이지 않도록 서랍장과 선반 깊숙이 물건을 넣어두죠. 오늘 하루 물건에 대한 고민을 하지 않고, 그래서 비움을 결정하지 않더라도 인생에 큰 어려움이 생기지 않기에 물건 비움만큼은 자꾸 미루고 싶습니다.

비움이 힘든 또 다른 이유 중 하나는 '물건을 비우고 나서 후회하는 순간을 마주하는 것이 힘들어서'이기도 합니다. 그저 물건 하나 비우는 일이라는 생각도 들지만, 한편으로는 어떤 선택을 후회하는 일을 줄이기 위해, 우리는 '선택을 하지 않는 선택'을 하기도 합니다.

제가 미니멀 라이프를 하면서 덜 후회하면서 망설임 없이 잘 비울 수 있었던 것은 바로 저만의 '비움 상자'가 있었기 때문입니다. 비움 상자는 비울까 말까 망설여지는 물건을 잠시 보관해 두는 '임시공간'이라고 할 수 있습니다. 꼭 상자일 필요는 없습니다. 저의 경우에는 옷

주방의 비어있는 수납장을 비움 상자로 이용 중. 이곳에 있는 물건들은 현재 모두 비움한 상태.

장에 남는 칸을 이용해 옷 비움 상자로 활용하고 있고, 주방에서도 빈 선반을 비움 상자로 이용하고 있습니다.

비움 상자가 남는 공간에 그냥 물건을 보관하는 것과 무엇이 다르냐고 물으신다면, 저는 그 물건 없이 살아보고자 하는 의지의 유무가 그 차이라고 답하고 싶습니다. '언젠가 필요하겠지.' 하고 그 물건을 그냥 두는 것과 '이 물건 없이 살아보고 싶다.'라는 의지를 마음 속에 새기는 것은 분명 같은 물건, 같은 공간이지만 다른 결과를 가져옵니다. 내가 살아가고자 하는 삶의 방향을 가리키는 일이 되기 때문입니다.

비움 상자의 역할은 이렇게 비울까 말까 고민되는 물건을 미리 비워내, 그 물건 없이 일정기간(6개월에서 1년 정도) 동안 살아보는 시간을 갖는 것입니다. 물론 더 긴 기간을 필요로 하는 물건도 있습니다. 무리하지 않고 내 마음에 확신이 들 때까지 기다려주는 것도 필요합니다.

비움 상자의 장점은 비움을 실패할 확률을 낮춰준다는 거예요. 그래서 비움이 심하게 방설여지는 물건이나 비우고 나면 후회할 것 같은 물건을 이 비움 상자에 넣어두었다가, 이 물건이 필요한 순간이 오면 다시 꺼내면 되는 것입니다. 그렇게 다시 '채움'하는 물건은 내 생활에 꼭 필요한 물건이라는 깨달음도 얻을 수 있습니다. 그리고 일정 기간을 다 채우고도 다시 꺼내 오지 않은 물건들은 없어도 되는 물건일 확률이 큽니다. 어떤 경우에는 없으면 안 될 것 같았던 물건인데 이 비움 상자에 넣어둔 일정 기간 동안 단 한 번도 생각나지 않았던 사실에 놀라기도 합니다.

우리집에 있는 국자 2개

예를 들어, 저희 집에는 2개의 국자가 있습니다. 처음에는 단순하게 생각해서 주방에 국자가 2개씩이나 필요는 없을 것 같아 하나를 비움 상자에 넣어 두었더니, 어느 날 신랑이 그 국자를 찾았습니다. 제가 다른 국자도 있는데 왜 꼭 그걸 찾느냐고 물으니, 크기가 달라서 두 국자의 용도가 다르다는 것입니다. 그래서 두가지 국자가 다 필요하다고 했습니다. 그 말도 나름 일리가 있기도 하고 요리를 좋아하는 신랑이 주방을 자주 이용하기에, 비움 상자에 넣어둔 국자를 다시 가져왔습니다.

저는 이 비움 상자를 혼자 살 때보다 결혼해서 더 유

용하게 사용하고 있습니다. 물건에 대한 저의 망설임뿐 아니라 신랑의 물건에 대한 의견까지 고려해야 하기 때문이죠. 종종 물건에 대한 의견이 서로 다를 때가 있습니다. 이럴 때 비움 상자는 같은 물건에 대한 서로의 욕망을 이야기할 수 있는 장을 마련해주기도 하고 부부 사이를 잘 조율해주는 다리 역할을 하기도 합니다. 물건에 대한 욕망의 대화는 결혼 생활의 다른 문제를 함께 잘 헤쳐 나가기 위한 작은 연습이 되기도 합니다.

비움 상자는 어떤 형태이든, 어디에 있든 상관없습니다. 그저 이 물건 없이 한번 살아보겠다는 내 마음을 가볍게 해주는 공간이라면 어디든 괜찮습니다.

지금까지
당연하다고
믿었던 것들

결혼 전 혼자서 자취를 하면서 저는 꽤 많은 쓰레기통을 가지고 살았습니다. 방에 하나, 화장실에 하나, 거실에 하나, 주방에 하나(거실 겸 주방인 공간에 굳이), 책상 옆에 하나(방에 이미 쓰레기 통이 있는데 굳이). 이렇게 총 5개의 쓰레기통을 두고 살았습니다.

저에게 쓰레기통은 방마다 하나씩 꼭 있어야 하는 물건이었습니다. 부모님 댁에도, 친구 집에도, 그리고 드라마에 나오는 집에도 다 방마다 쓰레기 통이 있는 모습을 보면서 자랐기에 저의 집 쓰레기통 개수가 많은 것이 전혀 이상하지 않았습니다.

하루는 더러워진 쓰레기통을 닦다가 '이 작은 집에 쓰레기통이 왜 5개씩이나 있어야 하지? 꼭 방마다 휴지통이 하나씩 있어야 하나?'라는, 태어나서 한 번도 해보지 않은 질문을 던졌습니다. 우선 쓰레기통에 비닐을 씌우고 벗기고, 쓰레기통을 주기적으로 세척하는 과정을 5번이나 반복하는 것이 귀찮다는 생각이 들면서 이 작업을 왜 하는지 제 자신에게 물어보기 시작했습니다. 더군다나 저희 집 쓰레기통들은 죄다 예쁜 디자인이었는데, 이 디자인으로 인해 구석구석 세척하는 데 시간과 에너지가 몇배가 더 들어간다는 사실도 깨달았습니다.

미니멀 라이프는 과거의 나를 깨는 작업이었습니다. 지금까지 당연하다고 믿었던 것들에 대해서 '왜?'라고 질문하고 답하는 과정을 통해서 현재 나의 상태를 되돌아볼 기회를 가졌습니다.

이후에 쓰레기통 개수를 줄여보자고 결심했습니다. 각 방에 쓰레기통이 하나씩 있다가 그 개수가 줄어든다면, 생활하는 데 조금 불편할 것 같았습니다. 하지만 쓰레기통 5개에 비닐을 씌우고 벗기고 세척하고 말리는 수고에 비하면 그 불편은 감수할 수 있을 것 같았습니다.

우선 5개의 쓰레기통을 화끈하게 1개로 줄여 보기로 하고 동선상 편하도록 거실에 두었습니다. 불편할 것 같다던 저의 예상과는 다르게 의외로 해볼 만했습니다. 불편하다는 느낌 보다 집안일에서 해방되었다는 느낌이 저를 더 신나게 만들었습니다. 그래서 신랑과 결혼 후 신혼집에서도 하나의 쓰레기통으로 살아보자고 제안했고, 고맙게도 신랑은 흔쾌히 동의해주었습니다.

미니멀 라이프를 시작한 덕분에 저에게 이런 고정관념이 있었다는 것도 알게 되었고, 인식조차 하지 못했던 살림의 불편함을 의외로 간단하게 해소할 수 있었습니다. 이렇게 고정관념을 비우니 꼭 있어야만 한다고 생각한 물건 없이 살아지는 것이 신기했습니다.

그렇게 몇달을 지내다 결국 하나밖에 없던 쓰레기통도 없애 버렸습니다. 이때 신랑이 쓰레기통을 버리는 대신 자기는 버리지 않을 거라고 약속하라는 재치 있는 말로 흔쾌히 저의 의견을 받아주어 가능한 일이었습니다. 쓰레기통을 대체한 방법은 종이 쇼핑백에 종량제 봉투를 넣어 사용하는 것이었어요. 이 방법이 좋았던 이유는 보통 쓰레기통은 더러워지면 세척해야 하는 번거로움이 있지만, 종이 쇼핑백은 더러워지면 종량제 봉투와 함께 버릴 수 있어 편리했습니다. 쓰레기통으로부

터의 해방. 이 짜릿한 해방감을 무엇으로 표현할 수 있
을까요?

예쁜 종이가방 쓰레기통은 나를 편하게 해주기도 하지만 그 자체로 예
뻐 집안의 인테리어용으로도 좋습니다.

열등감도
비우게 만드는
미니멀 라이프

　제 방의 책장에는 언제 샀는지 알 수 없을 정도로 다양하고 많은 책이 꽂혀 있었습니다. 이미 많은 책이 있는데도 서점에 가거나 혹은 누군가 좋은 도서를 추천해주면 구매를 하곤 했습니다. 이러한 상황을 인지한 저는 저에게 평생 한 번도 해보지 않았던 질문을 던졌습니다. "나는 왜 읽지도 않을 책을 구매하는 것이고, 언제 샀는지 기억할 수도 없는 책을 이토록 많이 소유하고 있을까?"

　책을 많이 읽어 똑똑해지고 싶고, 더 나은 삶을 살고 싶은 욕망 때문에 책에 집착하고 있다는 생각이 들었습니다. 이에 "내가 똑똑해지고 싶다는 욕망이 책을 소유하는 것으로 해결이 가능할까?"라는 질문을 다시 해보니, 책을 소유하기만 할 뿐 읽지 않는다면 나의 지식과 지혜는 더 깊어지지 않을 것이라는 결론에 도달했습니다. 다시 말해 소유하는 것만이 아니라 책을 읽어 이해하고 그 내용을 내 것으로 만드는 그때, 저의 욕망을 해결할 수 있는 것이죠.

그렇다면 굳이 읽지도 않을 책을 소유할 필요는 없었습니다. 스스로에게 한 달의 시간을 주었습니다. 그리고 그동안 읽고 싶었던, 하지만 읽지 않았던 책장 속 책들을 읽을 기회를 가졌습니다. 저는 한 달 동안 그 책들을 읽었을까요? 출퇴근길에서 오며 가며 읽으려고 가방 속에 넣어 다녔지만 결국 단 한 권, 아니 한 장도 넘기지 못했습니다.

이후 저는 도서관에서 책을 빌리거나 전자책을 구매해서 읽습니다. 아이러니하게도 책을 많이 사던 그때보다 훨씬 더 많은 책을 읽고 있습니다. 도서관에서 빌린 책은 기한이 있으니 더 열심히 읽으려고도 하는 것 같습니다. 그리고 몇 번을 빌려 보아도 배울 게 많은 책, 생각을 많이 하게 되는 책은 구매해서 곁에 두고 읽습니다. 개인적으로 책이 존재하는 이유는 책 속의 내용을 배우거나 즐김으로써 우리의 인생을 풍요롭게 해주는 데 있다고 생각합니다. 그래서 여전히 구매를 하고 있죠.

그렇게 책을 한 권, 두 권 비워내면서 잘나 보이고 싶고 인간으로서 성장하고 발전하고픈 욕망이 있었음을 이해하고, 현재 그러하지 못한 나 자신을 있는 그대로

몇 번의 비움을 거치고도 여전히 남아 있었던 자취방 책장 위의 책들

받아들이게 됐습니다. 그저 책 한 권 버렸을 뿐인데 지금까지 움켜쥐고 놓지 못한 아상, 즉 내 안에 그려놓은 이상적인 모습과 그로 인해 생긴 열등감을 지워낼 수 있었습니다.

이처럼 스스로를 이해하고 받아들이니 이후에는 궁금한 것이 있으면 주저하지 않고 사람들에게 물어보게 되었고 모르면 모른다고 이야기할 수 있는 용기를 가지게 되었습니다. 제가 불안했던 건 스스로를 부족하게 보듯 다른 사람들도 저를 부족하게 보지 않을까 하는 두려움 때문이었습니다. 하지만 오히려 솔직하게 모른다고 말하면 사람들은 그런 저를 더 많이 도와주려고 했고, 알려주려고 했습니다. 그리고 그렇게 맺어진 인연들 덕분에 저에게 더 많은 기회도 찾아오게 되었습니다.

제가 한 것은 그저 책 한 권 비워내는 것이었습니다. 그런데 인생이 참 많이 달라졌습니다. 더 자연스러워졌고, 더 자유로워졌습니다. 그리고 더 나다워졌습니다.

내가
진짜 원하는
옷장

옷과 미술을 좋아하는 저는 예쁜 옷, 예쁜 물건에 관심이 많습니다. 지금도 여전히 말이죠. 언젠가는 저만의 드레스 룸을 가지는 게 소원이었고, 대학교를 졸업하고 저만의 공간을 갖자 마자 그 소원을 이루었습니다. 연예인도 아니고 패셔니스타도 아닌데 방 하나를 드레스 룸으로 만들고 그 방이 가득 차도록 옷을 사 모았더랬죠.

그런 제가 옷 미니멀이라니요! 어떤 사람에게는 책이, 어떤 사람에게는 신발이, 어떤 사람에게는 취미생활이 비워내기 힘든 것이라면 저는 옷이었습니다.

더군다나 우리나라는 4계절이 있어서 각종 이벤트

때마다(결혼식, 장례식, 명절, 각종 행사 등) 시간(t), 장소(p), 상황(o) 뿐 아니라 계절마다 알맞은 옷이 있어야 하니 미니멀한 옷장을 만들기에 참 어려운 점이 있습니다. 그래서 저의 옷장이 미니멀해지기까지는 상당한 기간이 걸렸습니다.

저는 꼭 모든 물건을 다 비우고 개수를 줄여야 한다고 생각하지 않습니다. 내가 좋아하는 물건이 있다면, 그리고 그 물건들을 잘 관리하고 잘 사용하고 있다면 꼭 그 물건을 없애야 할 필요는 없습니다.

그럼에도 불구하고 제가 옷장을 미니멀하게 가꾸고 싶었던 이유는 매 계절마다 하던, 다음 계절의 옷을 옷박스에서 꺼내고 이전 계절의 옷을 그 박스에 집어넣는 작업들을 하지 않기 위해서였습니다. 그렇게 박스에 넣어둔 옷은 다음해가 되어 꺼내어 보면 접힌 자국과 냄새 때문에 다시 빨거나 필요하다면 다림질이나 세탁소로 가져가야 하는 번거로움이 수반되었습니다.

미니멀 라이프를 시작하고 나서는 저의 시간과 에너지를 더 가치 있는 일에 쓰고 싶었기에 그동안 별 생각 없이 해왔던 이 작업에 들이는 시간을 줄이면서 내가 좋아하는 옷들을 소유할 수 있는 방법은 없을까 고민했습니다. 옷을 정리하기 앞서 제가 진짜 원하는 옷장은 어떤 모습일까 상상했습니다. 그리고 나서 내린 결론은 하나의 옷장에 4계절의 옷을 모두 품은 옷장을 만들겠다는 결심이었습니다.

우선 드레스 룸의 옷장 안과 서랍 안을 찬찬히 둘러보았습니다. 비좁은 옷장 안의 옷들은 거의 쳐박히다시피 보관되어 쭈글쭈글하거나 구겨진 상태가 대부분이었습니다. 관리되지 못하고 보관된 옷들은 필요한 순간 입고 나갈 수가 없으니 결국 입을 수 없는 옷과 마찬가지였습니다. 그리고 제가 원하는 옷이 분명 옷장에 있지만 그 많은 옷 사이에서 찾지 못해 입지 못하는 것도 결국 없는 옷과 다름이 없었습니다. 우선 드레스 룸에서 잘 입지 않고 자리만 차지하는 옷들을 비우고 공간을 만드는 것이 급선무였습니다.

옷장과 서랍에 있는 옷들을 하나 둘 살펴보았습니다.

낡아서 잘 입지 않은 옷
세탁이나 관리를 잘못해서 줄어들거나 늘어났지만 아까워서 버리지 못하고 넣어둔 옷
구멍이 나거나 지워지지 않는 얼룩이 생겼지만 집에서

입으면 되지 하는 생각으로 놔둔 옷

공간만 차지하고 입지 않는 옷들을 일차적으로 비워냈습니다. 그리고,

예전에는 잘 입었지만 취향과 체형이 변해서 현재는 잘 입지 않게 되는 옷
입었을 때 불편하지만 비싸게 주고 산 게 아까워서 버리지도 입지도 못하고 둔 옷
옷 자체는 예쁜데 내 얼굴이나 체형에는 잘 맞지 않아 늘 입었다가 결국 벗어놓게 되는 옷

나의 취향과 체형, 피부색을 고려해서 잘 입어지지 않는 옷들도 비워냈습니다. 물론 하루 아침에 이 모든 것을 다 비운다는 것은 불가능합니다. 저의 경우 1년에 걸쳐서 계절마다 점검하면서 많은 양의 옷을 천천히 비워냈고 지금도 여전히 조금씩 비워내고 있습니다.

마지막으로 같은 유형의 옷은 1~2벌만 남기는 것도 도움이 되었습니다. 저는 한쪽이 오픈 된 바지걸이를 이용해서 봄/여름 바지 세벌, 봄/여름 치마 세벌, 청바지 두벌, 정장바지(흰색, 검은색) 총 두벌, 정장치마(흰색, 베이지색, 검은색) 총 3벌 등 같은 유형의 옷들을 하나의 옷걸이

에 걸어두고 있습니다.

이렇게 정리해두면 내가 가진 옷들의 개수와 색이 한눈에 파악되기 때문에 준비시간이 절약되기도 하고 옷을 구매할 때에 비슷한 옷을 구매하는 실수가 줄어듭니다.

한쪽이 오픈 된 바지걸이를 이용해서 같은 유형의 옷들을 하나의 옷걸이에 걸어두고 있습니다.

옷을 정리하면서 가장 크게 변한 것은 옷 세탁 정보에 관심이 많아졌다는 것입니다. 옷이 많았을 때는 그렇게 옷을 좋아한다면서 한 번도 흔한 세탁 정보 하나 찾아보지 않았습니다. 옷에 문제가 생기면 비슷한 옷을 다시 구매하려고 했지, 복구할 생각을 하지 않았습니다.

가능하면 특별한 관리를 필요로 하지 않는 옷을 선

택하면 좋지만 이미 가지고 있는 제가 좋아하고 아끼는 옷들은 잘 관리해서 오래오래 입고 싶어졌습니다. 그래서 아끼는 옷에 얼룩이 생기면 책이나 유튜브 영상을 찾아 얼룩을 지우는 방법을 터득하고 있습니다.

미니멀 라이프를 하면 오히려 입을 옷이 많아진다는 것은 잘 입지 않는 옷들을 걷어내고 나면 전체 옷의 수는 줄어들겠지만 평소 잘 입고 좋아하는 옷만 엑기스로 남게 되니 오히려 입을 수 있는 옷들이 눈에 더 잘 보이기 때문이라는 것을 깨달았습니다. 마치 진흙더미 속에 숨겨진 진주만 찾아서 모아둔 느낌이랄까요?

4계절 옷을 모두 품은 옷장

미니멀 라이프를 향한
나의 작고 귀여운
허세

저의 미니멀 라이프 여정이 항상 성공적이었던 것만은 아닙니다. 나만의 일, 나만의 길, 나만의 삶의 방식 등 나만의 무언가를 만들기 위해서는 시행착오를 겪기 마련이니까요.

한참 미니멀 라이프에 심취해서, 어떤 물건을 구매하더라도 자리를 많이 차지하지 않는, 작고 가벼운 물건을 구매하고자 하였습니다. 많은 물건을 비워내면서 부피가 큰 물건들은 처분하는 것이 참 어렵다는 것을 몸소 체험했기 때문입니다.

그래서 선택했던, 휴대하기에도 좋고 보관하기에도

작은 다리미와 방석

좋은, 작고 귀여운 다리미입니다.

　처음 무선 청소기를 사용해보고 선이 없는 것이 움직임에도 자유롭고 실용적이라 그 이후 어떤 제품이던 가능하면 무선으로 구매하고 싶었습니다. 그래서 다리미도 무선으로 선택했고 여행 갈 때도 가볍게 가지고 갈 수 있을 거라 생각해서 구매했습니다. 물론 제가 좋아하는 흰색으로요.

　다림질할 때 필요한 다리미 판도 굳이 살 필요없이 방석으로 대신하면 된다고 생각했습니다. 제가 옷을 다릴 일이라고는 신랑이 일주일에 2~3번 입고 나가는 셔츠들 밖에 없었으니까요.

　이 작고 귀여운 다리미의 사용 가능 시간은 약 15분 정도. 처음에는 빠르게 15분 만에 다림질을 끝내면 되지

하는 생각으로 구매를 했지만, 무선이라 열기가 약해 한 두번의 다림질 만으로는 다림질 효과가 나지 않았습니다. 15분 동안 열심히 다렸지만 결국 신랑 셔츠 팔부분은 다리지 못한 채 항상 끝이 났습니다. 그런데 이 조그마한 물건의 충전시간은 자그마치 4시간. 쭈글쭈글한 셔츠를 부여잡고 또 4시간을 기다려야 합니다.

어느 날 저의 다림질을 유심히 지켜보던 신랑이 이제야 자신의 셔츠 팔부분이 매번 쭈글쭈글했던 이유를 알았다며 빙그레 웃었습니다.

미니멀한 물건, 미니멀한 디자인, 미니멀한 인테리어도 좋지만 어떤 물건이든 본래 기능에 충실한 것이 가

새로 구매한 다리미와 다리미판

장 중요합니다. 어떤 물건이든 그 물건의 역할이 분명할 때, 존재할 이유도 생기니까요.

결국 제 기능에 충실한 유선 다리미와 다리미 판을 다시 구매했습니다. 저의 작고 귀여운 다리미는 여행 갈때라도 쓸까 하고 남겨두려고 했지만 가벼운 여행을 좋아하는지라, 다리미까지 가지고 갈 여행짐을 싸지 않을 것 같아 결국 비웠습니다. 이제 어떤 물건이든 미니멀한 것 보다는 그 기능에 충실한지부터 살펴보자 다짐하면서 말이죠.

남긴 건 결국
내 몸을 편안하게
하는 물건

유학시절이었습니다. 그때 만났던 외국인 친구들을 보며 신기한 점이 있었는데, 그것은 바로 속옷으로부터 자유롭다는 것이었습니다. 그때 까지만 해도 저는 우리나라 문화에 익숙했기에 친구들의 모습이 참 신기하면서도 부러웠습니다. 그때 처음으로 당연하게 생각했던, 나의 속옷이 나의 몸을 옥죄고 있다는 것을 인식하기 시작했고 속옷으로부터 자유롭고 싶다는 생각을 했습니다.

하지만 어렸을 때부터 익숙하게 들어왔던, 속옷에 대한 기존 생각들을 비워내는 데 까지는 꽤 오랜 시간이 걸렸습니다. 미니멀 라이프를 시작하고 용기를 내어 나의 몸을 옥죄는 와이어 속옷은 비우고 대신 제 몸을 편안하게 해주는 브라렛을 착용하기 시작했습니다. 브라렛이란 와이어나 패드를 없애서 가슴 압박을 줄인 속옷입니다. 최근 속옷에 대한 사람들의 인식도 높아지고, 관심과 연구도 활발해지면서 여성의 몸에 편안하면서도 기능성을 갖춘 속옷이 많이 나오고 있더라고요. 브라렛으로 속옷을 바꾼 후에는 내 몸을 보호하면서도 종일 아무것도 입지 않은 듯한 편안함을 느낄 수 있었습니다. 내 몸에 불편한 물건 하나를 비웠는데 나의 하루가 편안해졌습니다.

속옷뿐 아니라 신으면 발이 아픈 신발 때문에 고생한 적도 있습니다. 그렇게 고생을 했는데도 처음에는 그 신발을 비워낼 생각을 하지 않았

신으면 발 볼이 아픈 운동화

습니다. 버리기엔 너무 멀쩡한 상태여서 신발을 구내한 짓을 후회하기만 했지, 버린다는 생각을 하지 못했습니다. 그 후 한동안 신지 않다가 다시 신은 날이면 발이 아팠습니다. 미니멀 라이프를 만나면서 그제서야 신발장

안의 나의 발을 아프게 하는 신발들을 미련없이 바라볼 수 있게 되었고, 반복되는 나쁜 패턴으로부터 벗어나 그 신발들을 비워낼 수 있는 용기가 생겼습니다.

미니멀 라이프는 모든 선택을 '나 중심'으로 할 수 있는 힘을 주었습니다. 저의 시선을 밖이 아닌 안으로 이동시켜주었습니다. 그랬더니 내가 참 소중한 사람이라는 생각이 들었습니다. 미니멀 라이프를 시작하고 나서는 몸의 통증과 불편함에 예민해지기 시작했습니다. 아니 예민해지려고 노력하기 시작했다는 말이 더 맞을지도 모릅니다.

어떤 물건이, 어떤 관계가, 어떤 마음이 내 인생에서 불필요한 것들인지 저만의 기준이 생긴 것입니다. 잘 쓰지 않는 물건도 저에겐 비움의 대상이지만 저를 불편하게 하는 것들도 저에게는 비움의 대상이 되었습니다. 속옷뿐 아니라 신어서 발이 아픈 신발, 입어서 저를 불편하게 하는 옷, 그리고 자꾸 벗겨져서 제 기능을 하지 못하는 양말도 비웠습니다. 비움에 있어 저만의 기준이 생기니 물건을 살 때 더욱 신중하게 결정할 수 있습니다.

물건뿐 아니라 나의 마음을 자주 아프게 하는 사람이 있다면 그 사람과의 관계를 비울 수 있는 용기도 낼 수 있게 되었습니다. 나의 행복은 내가 선택할 수 있습니다. 제 옆에는 저를 편안하게 하고 행복하게 하는 것들을 두고 싶습니다. 그래서 앞으로도 저를 위해 계속 예민해질 생각입니다.

내 삶에 중요하고
중요하지 않은 것을
구분하는 연습

쓰레기와 함께 살지 않겠다는 결심을 넘어, 어느 순간 저는 인생에서 중요한 과정을 진행하고 있는 것 같았습니다. 무엇을 어떻게 비워야 할지 고민하면서 스트레스를 받았다면 이제는 물건 하나하나를 바라보는 과정, 다시 말해 내 인생에서 불필요한 물건들을 하나 둘 선택하고, 비우기를 결정하고, 그리고 나서 비워진 그 공간을 바라보는 과정이 참 즐거워졌습니다.

사실 그때까지도 제 인생에서 중요한 것이 정확히 어떤 것인지 잘 몰랐습니다. 그저 이렇게 나아가는 방향이 맞다는 것만 어렴풋이 느낄 수 있었습니다. 나의 결정이 나의 인생을 돕고 있는 느낌. 그래서 점점 내 인생이 나아지는 느낌이 들었죠. 왜냐하면 제 마음이 즐겁고 한편으로는 편안했기 때문입니다. 제 인생에서 중요한 것을 찾기 위해 작은 연습들을 하고 있다는 생각이 들었습니다.

이 작은 연습이 마치 나비효과처럼 내 인생의 모든 부분에서 좋은 영향을 가져다줄 것이라는 확신이 들었습니다. 그리고 점점 제 인생에서 중요한 것들에 다가가고 있다는 믿음이 생겼습니다.

제주 바다를 바다보며

물건이 없어진다고
내가 없어지는 건
　　아닌데

미니멀 라이프를 시작하고 오랫동안 비우기 힘들었
던 것은 바로 추억의 물건들이었습니다. 소중한 사람들
로부터 받은 편지, 선물, 신랑과 데이트하면서 갔던 식
당에서 받았던 스탬프 카드, 예전에 미술 큐레이터로
일하면서 만들었던 저의 피와 땀이 녹아 있는 전시회
포스터와 도록 등. 공산품이야 비우고 필요하다면 다시
구매할 수 있지만, 추억의 물건들은 세상에 단 하나밖
에 없는 물건들이니 비우고 나면 끝이라는 생각에 더욱
비우기가 힘들었습니다.

그 물건들을 보고 있으면 과거 속의 사랑받던 나, 행
복했던 시간 속의 나, 열심히 일했던 나, 치열하게 삶을

살아냈던 나의 모습이 떠오릅니다. 추억의 물건들을 비우기가 힘들었던 것은 이런 과거 속의 나를 잊고 싶지 않은 마음이 있었음을 깨달았습니다. 물건이 없어

나의 20~30대 추억이 고스란히 담긴 USB

진다고 과거의 내가 없어지는 것은 아닌데 말입니다.

이러한 물건들은 매일 사용하는 것들이 아니기에 평소에는 잊고 살아가다 묵은 짐을 정리할 때 혹은 이사할 때 마주하곤 하죠. 그때마다 과거 속의 나와 만나게 됩니다. 이 물건들의 존재의 이유가 단지 과거 속의 나를 떠올리는 것이라면 꼭 실체가 있는 형태일 필요는 없습니다.

그래서 실체가 있는 물건들을 소유하지 않고서도 그 물건들을 보관할 수 있는 방법으로 모든 사진과 종이 자료를 스캔하거나 사진을 찍어 전자파일로 만들었습니다. 그렇게 제 과거의 추억은 이 작은 usb에 압축해서 추억 보관함에 고이 저장했습니다. 사실 이렇게 정리해서 보관해 둔 파일은 만들고 5년이 지난 지금까지 한 번

도 펼쳐보는 일은 없었습니다. 다만 제가 언제든 기억하고 싶을 때 떠올릴 수 있는 추억이 존재한다는 든든함이 있을 뿐입니다.

현재의 제가 있기 위해 과거의 제가 참 부지런히 살아 주었기에 그 과거를 추억하고 기억하는 것은 필요합니다. 하지만 꼭 그것이 물건의 형태여야만 하는 것은 아닙니다. 물건들을 비우기 어려운 나의 마음은 그저 나를 잃어버릴 것 같은 두려움이라는 사실을 깨닫자, 그제서야 저의 추억과 물건을 분리해서 생각할 수 있었고, 편안하게 물건들을 보낼 수 있었습니다.

아끼다
똥된
명품백

대학교 졸업 후 첫 직장에 들어갔을 때 엄마로부터 축하 선물을 받았습니다. 명품 가방. 평생 직장을 다니시면서 자신을 위해 명품 하나 사지 않으셨는데 딸한테는 그런 좋은 가방을 선물하고 싶으셨나 봅니다.

작고 예쁜 물건을 참 좋아하는 저이지만 가방만큼은 물건 넣기 편하고 바닥에 아무렇게나 놓을 수 있는 가방을 더 좋아합니다. 비싼 명품 가방에 어울리는 옷을 평소에 즐겨 입지 않기도 하고 사회 초년생이 비싼 명품 가방을 가지고 다녀야 하는 상황이 그리 많지 않았기에, 보관만 했을 뿐 여러 해가 지나도록 한 번도 사용하지 않았습니다.

그렇게 시간이 흘러 사촌오빠 결혼식에 가려고 예쁘게 차려 입고 그 가방을 꺼냈더니 아니 글쎄 가죽이 쩍쩍 갈라지고 가루가 마구 떨어지는 거 아니겠어요? 물론 관리법도, 보관법도 잘 알지 못해서 제대로 관리하

정장을 입거나 차려 입을 때 매는 가방 두개와 여름용 가방 하나, 여행 갈 때와 더불어 평소 1년 365일 주구장창 매고 다니는 백팩이 내가 가진 가방 전부입니다

지 못한 점도 있지만 몇 년을 쓰지 않고 두었더니 그렇게 볼품없이 변해버린 것입니다.

'아끼고 아끼다 똥된다'는 말이 생각납니다. 비싼 명품도 관리하지 않으면 이렇게 쓸모가 없어지는 모습을 보고 어떤 물건도 관리라는 것이 참 중요하다는 걸 깨달았죠. 어떤 것도 영원한 것은 없습니다. 그 이후로는 어떤 새로운 물건도 신중하게 들이고, 구매를 했으면 아끼지 않고 바로바로 사용합니다.

우리의
대립은 여전히
진행 중

저의 미니멀 라이프는 결혼 후 큰 변화를 겪었습니다. 하나에서 둘이 되면서. 결혼 전에는 집에 있는 모든 물건의 비움과 채움의 문제는 오롯이 저 혼자 결정할 수 있었습니다. 스스로 물어보고, 답하고, 결정하면 되었습니다. 하지만 결혼 후에는 신랑 물건들과 제 물건들이 섞이고, 때로는 원하지 않는 물건이 채워지고, 제가 비우기를 원하는 물건을 마음대로 비우지 못하는 상황도 생겼습니다.

어느 날은 코팅이 다 벗겨진 프라이팬을 보고 더 이상 사용하기 힘들겠다 생각해서 우리집 분리수거가방에 넣어 놨습니다. 그런데 그 다음날 신랑이 분리수거를 하고 오면서 그 프라이팬을 다시 주방에 두었습니다. 신랑이 보기에 그 프라이팬은 아직 쓸 만하고 버리

코팅이 다 벗겨진 프라이팬

기 아깝다는 것이었습니다. 이후 새로운 프라이팬을 들이고 나서 코팅이 벗겨진 프라이팬의 사용 빈도가 줄어들고, 아끼는 것도 좋지만 건강하게 요리를 해서 먹고 싶다는 저의 의견이 더해져 신랑이 먼저 그 프라이팬을 버리자고 했습니다.

제가 어떤 물건을 비워내고 싶은 욕망이 있듯이, 신랑의 비워내고 싶지 않은 욕망도 있음을 알게 되었습니다. 옳고 그름의 논리가 아닌 서로의 가치관에 대한 존중이 필요함을 인식하게 된 것입니다.

가볍게 살고 싶은 마음, 그래서 불필요한 물건은 비우고 정리하고 정말 좋아하는 물건들만 채움하는 삶의 방식. 정말 좋습니다. 하지만 그 가벼움의 정도, 불필요하고 필요한 것, 혹은 좋아하고 싫어하는 것에 대한 의견은 참 상대적인 것이라 누군가와 함께 한공간에서 살

아가면서 지키기는 여간 쉽지 않은 일입니다.

여기서 제가 지켜야 한다는 건 도대체 무엇일까요? 깔끔한 집? 아무것도 없는 거실? 항상 정리정돈 된 주방? 무엇을 지키기 위해서 우리는 이런 가벼운 삶을 원하는 것일까요? 적어도 저는 행복하기 위해서입니다. 이 행복을 위해 저는 미니멀 라이프를 합니다. 그런데 미니멀에 너무 심취하다 보면 정작 중요한 것들을 잊어버립니다. 행복하기 위한 수단으로 미니멀 라이프를 택한 것이지 미니멀 라이프를 지키는 것 자체가 목표인 것은 아닙니다. 그래서 어떤 물건에 대해서 불편한 마

우리집 아파트 거실

음이 올라오면 저의 마음부터 살펴봅니다. 미니멀을 위한 것인가, 나의 행복을 위한 것인가?

　결혼 전처럼 제가 비우고 싶거나 채우고 싶은 물건을 바로바로 비우고 채우지는 못하지만, 신랑 덕분에 한 번 더 생각해보게 되고, 나와 다른 의견을 가진 사람과 조율해 나가는 방법도 배웁니다. 오늘도 여전히 물건에 대한 우리 부부의 대립은 진행형이지만 신랑과 저는 서로의 가치관과 욕망을 이해하려고 노력하고 존중하며 하나하나 조율해 가면서 살아가고 있습니다.

10분만에
미니멀한 냉장고
만드는 법

우리집에는 824리터짜리 큰 냉장고가 하나 있습니다. 혼수로 구매한 냉장고입니다. 크고 좋은 것을 사 놓으면 10년은 넘게 쓰고, 아이 낳고 살다 보면 이 정도 크기의 냉장고는 필요하다는 어른들의 말씀에 추천해주시는 크기의 냉장고를 구매했습니다.

아직은 신랑과 저, 이렇게 두 사람을 위한 요리를 하느라 큰 저장 공간이 필요 없긴 하지만, 또 공간이 있다 보니 이것저것 많이 넣게 되더라고요. 정말 끝도 없이 들어가는 것입니다. 그러다 보니 버려지는 음식들과 재료들도 많아졌습니다.

다시 그때로 돌아간다면 냉장고만큼은 조금 작은 것으로 구매할 것 같지만 구매한 김에 제가 원하는 모습의 냉장고로 만들고 싶었습니다. 그래서 생각해낸 것은 바로 냉장고 칸수를 줄이는 것입니다. 3칸짜리 냉장고의 칸을 비워 2칸으로 만들었고 냉장고 문에 부착된 투명 박스 칸들도 떼어냈습니다. 역시 저장할 공간 자체를 줄여버리면 그곳에 쌓이는 물건들을 줄일 수 있는데 최고인 것 같습니다.

　칸수를 줄이고 보관할 장소가 작아지니 공간이 한눈에 들어와 음식을 오래 보관하거나 썩히는 일이 줄어들고 회전율도 높아졌습니다. 장볼 때도 보관할 장소를 고려해서 조금만 구매하게 되었습니다. 싱싱하고 몇 안 되는 재료들을 보면 요리할 맛도 생깁니다. 그리고 물건들의 자리를 정해주듯 냉장고 안에서도 국자리, 반찬자리, 야채자리 등 자리를 정해주면 한 눈에 파악하기도 좋고, 청소와 정리도 쉽습니다. 좁은 공간을 넓게 쓰는 법은 들어봤어도, 크고 넓은 공간을 작고 좁게 쓰는 방법은 꽤 신선한 것 같습니다.

　저희 부부는 냉장고, 세탁기, 무선청소기, 침대, 식탁 등 큰 살림살이 외 필요한 물건은 각자 자취하던 집에서 가지고 오기도 하고 자잘한 그릇이나 수저, 도마 같

칸수를 3칸에서 2칸으로 줄이고 문에 부착된 투명 박스 칸도 떼어낸 냉장고

(위) 냉장고 전체 사진 (왼) 냉장실 (오) 냉동실

은 것들은 살아가면서 제 취향에 맞춰 하나씩 구매하고, 바꾸고 있습니다. 그 재미가 참 쏠쏠합니다. 살림에도 취향이 있는데 이 살림 취향이라는 것은 살림하면서 하나 둘 만들어 가는 거더라고요.

취향이 형성되기 전에 너무 비싸거나, 부피가 크거나, 혹은 세트로 사게 되면 앞으로 변할 취향들을 채워 넣을 공간이 없어집니다. 다시 돌아간다면 이 큰 살림들도 살면서 필요하게 되는 순간 구매를 하거나 혹은 제 취향을 고려해서 구매할 것 같습니다.

결혼으로
더 단단해진
미니멀 라이프

결혼하고서 저의 미니멀 라이프는 큰 변화가 찾아왔고 신랑을 따라 서울에서 지방으로, 또 제주도로 이사를 다니면서 또 다른 변화가 찾아왔습니다. 아파트에서 주택으로 이사하고서 늘어나는 짐들 때문에, 다시 한번 저의 미니멀 라이프는 위기 아닌 위기를 맞이하게 된 것입니다.

집 앞 마당에 잔디밭이 있어서 풀을 정리하기 위한 도구들이 필요했고, 잔디밭에서 먹고 놀 수 있는 원목 식탁과 의자, 그리고 파라솔도 구매했습니다. 이 밖에도 생활환경이 달라지면서 필요한 물건들이 늘어났습

제주도 집 1층 마당

니다. 그러다 문득 꽤 늘어난 물건을 보면서 다시 불편한 감정이 올라왔습니다. 미니멀이 아닌 저의 행복에 집중해야 한다고 마음먹었지만, 그렇다고 마구 늘어나는 짐들이 그리 반가운 것은 또 아니었습니다. 자꾸 늘어나는 짐들이 감당이 되지 않을까 걱정이 되었던 것입니다.

사는 장소가 바뀌고 생활방식이 변하니, 거기에 따른 필요한 물건도 바뀝니다. 누군가는 '이렇게 다 가지고 사는데 뭐가 미니멀 라이프 라는 거지?'라는 의문을 품을 수도 있어요. 저 또한 이 많은 물건을 보면서 '더

제주도 집 2층 테라스

이상 미니멀리스트라고 할 수 있을까?'라는 생각을 했으니까요. 그때마다 제가 하고 싶은 미니멀 라이프는 어떤 모습인지 다시 생각해보았습니다. 무엇이 내 삶에 필요한 물건인지 정답은 없습니다. 다만 우리가 사는 생활방식에 맞게 우리에게 필요하고 불필요한 것은 그 삶을 사는 우리가 결정하면 되는 것이었습니다.

각자의 삶에 필요한 물건과 소중한 관계는 자신만이 결정할 수 있고, 선택할 수 있습니다. 그리고 흔히 미니멀 라이프 라고 하면 떠올리는, 무조건 비우고 아무것도 없이 사는 모습이 아니라 자신에게 필요한 물건이 무엇인지 정확히 알고 그것들을 잘 채우는 것 또한 제가 꿈꾸는 미니멀 라이프의 한 모습이라는 것도 깨달았습니다.

이렇게 저는 결혼, 이사, 생활환경 변화 등 다양한 상황에 놓이면서 실제 상황과 부딪히는 저의 삶의 방식과 철학에 대해 의문을 품고, 그 의문을 해결하기 위해 스스로 물어보고, 또 해답을 찾아가는 과정을 겪고 있습니다. 이를 통해 저만의 철학을 다듬고, 깎고, 굳히는 작업을 하고 있습니다. 몇번의 혼란과 깨달음 뒤에 점점 더 단단해지고 또 유연해지는 삶의 철학을 가진 제가 되어 갑니다.

나의 욕망
제대로
바라보기

물건을 통해 자신에 대해 점점 더 많이 알게 되면서, 제 안에는 꼭 저의 욕망만 존재하는 것은 아님을 깨달았습니다. 나를 지배하는 내 안의 욕망의 모습을 제대로 바라보는 용기가 필요했죠.

저는 어렸을 때부터 미술을 정말 좋아했습니다. 눈을 감고 나의 미래를 상상하면, 책상 위에 컬러풀한 색색의 도화지가 펼쳐져 있었습니다. 그런 책상에서 일하고 싶었습니다.

내가 좋아하는 일을 하면서 경제적 독립을 이뤄내고 싶었고, 그래서 미술 큐레이터가 되기로 결심했습니다.

대학 졸업 후 원하는 직장 몇 군데를 지원하니, '유학은 필수'라는 대답만 돌아왔습니다. 부모님의 반대에도 불구하고 유학 다녀와서 효도 왕창 하겠다는 말만 남기고 유학길에 올랐습니다. 하지만 한국으로 돌아온 후 일터에서의 현실은 월급, 대우, 복지, 업무환경 등 너무도 열악했습니다.

좋아하는 일을 하면, 그리고 좋아하는 사람을 만나면 길거리에서 살아도 좋다는 생각을 잠시 한 적은 있지만, 현실에서의 저는 적어도 길거리에서 살고 싶지 않았고 더는 부모님께 용돈을 받으면서 좋아하는 일을 고집하고 싶지도 않았습니다. 하지만 꽤 먼 길을 달려왔기에 그 자리에서 저는 이러지도 저러지도 못하고 불만만 가득한 채로, 패배감과 좌절감을 품고 시간을 보냈습니다.

삶에 대한 집착이 강했던 저는 한번 사는 인생 잘 살고 싶었고 그래서 내가 가진 욕심들을 전부 다 이루고 살고 싶었습니다. 좋아하는 일도 하고 싶었고, 그 일로 돈도 많이 벌고 싶었습니다. 폼 나게 살고도 싶었습니다. 내가 진짜 원하는 게 무엇인지 정확하게 구분하지 못하고 마냥 욕심만 많았습니다. 그 욕심이 사회가 원하는 건지, 부모님이 원하시는 건지, 내가 원하는 건지 구분하지 못했습니다. 구분되지 않고 뒤엉킨 욕망의 덩어리가 제 머릿속을 어지럽혔습니다.

그랬던 제가 미니멀 라이프를 만나고 저에게 불필요한 물건들을 하나 둘 비워내면서, 내가 가진 물건들에서 고스란히 드러난, 우선순위 없이 구분되지 못한, 욕심이라는 군더더기가 덕지덕지 붙은 나의 욕망 또한 자세히 들여다볼 수 있게 되었습니다

그제야 인정받고 싶었고, 사랑받고 싶었고, 이해 받고 싶었던 나의 진짜 마음이 보였습니다. 그래서 항상 외부를 향하고 있었던 제 마음이 보였고, 그 외부의 기대와 욕구를 채워주기 위해 발버둥쳤던 제 과거도 보였습니다. 허기진 마음이 누구의 욕망인지도 모른 채 욕

심으로 채워 넣고, 또 물건으로 채워 넣고 있었던 나를 발견했습니다.

그렇게 많은 물건과 욕심을 움켜쥐고 살던 내가 필요 없는 물건을 비우기 시작하면서, 내 삶에서 필요한 것과 불필요한 것을 구분해 내는 연습을 시작하게 된 것입니다. 나에게 불필요한 물건을 비워내는 동시에 나의 욕망이 아닌 타인의 욕망, 그리고 세상의 욕망도 함께 비워냈습니다.

미니멀 라이프는 저에게 밖이 아닌 안을 보게 해주었습니다. 물건을 비울지 말지 선택하는 것은 오롯이 나의 선택입니다. 이 작은 선택들을 연습하면서 점점 나의 선택을 확신하게 되었고 자신감도 생겼습니다. 그제야 세상의 욕망이 아닌 나의 욕망을 정확하게 바라볼 수 있었습니다. 미니멀 라이프는 내 인생에서 정말 중요한 것이 무엇인지 생각하게 하였고, 이것을 지키기 위해 내가 무엇을 해야 하는지 알려주었습니다.

욕망을
구분하는
기술

제주도에 살기 시작하면서, 시간이 나면 종종 신랑과 해변가 산책을 합니다. 하루는 한담해안 산책로를 걷는데 가는 길에는 낮이어서 예쁜 풍경을 눈에 담을 수 있었습니다. 그렇게 시간을 보내다 오는 길에는 해가 진 후라 주변이 컴컴해졌습니다. 어두워서 예쁜 풍경은 더 이상 볼 수가 없었지만 오는 길에는 맡지 못했던 풀 내음, 바다 내음이 진하게 코끝을 지나가는 것을 느낄 수 있었습니다. 피부를 스쳐가는 바람도 느껴졌습니다. 다양한 냄새를 맡으며, 또 바람을 즐기며 즐겁게 돌아올 수 있었습니다.

어둠 속에서 시각 자극이 줄어들면 청각과 후각이

저녁 때의 한담해안 산책로 모습

예민해집니다. 그래서 어둠속에서는 작은 소리도 더 잘 들리고, 냄새에도 더 민감하게 반응하죠. 하늘의 별도 분명 존재하지만 낮에는 잘 보이지 않다가, 밤이 되었을 때만 비로소 별이 잘 보이기 시작합니다.

우리의 마음도 마찬가지입니다. 마음을 더욱 잘 보기 위해서는 고요와 어둠이 필요합니다. 이때 고요는 다른 사람들의 목소리로부터 멀어지는 것, 어둠은 우리의 마음을 가리고 우리의 시선을 빼앗는 것으로부터 멀어지는 것입니다.

미니멀 라이프는 이 고요와 어둠이 우리 인생에서 머물 수 있도록 도와줍니다. 불필요한 것들을 비워낸 빈 공간에서는 다른 사람의 목소리가 아닌 나의 목소리가 들리고, 나의 시선을 빼앗아 가던 것들로부터 벗어나, 진짜 마음을 들여다볼 수 있습니다. 어둠 속에서 빛나는 마음이 보이고, 고요 속에서 진짜 나의 삶의 바람이 어디로 불어가는지 느낄 수 있습니다.

비워야
보이는
나의 취향

    예전부터 취향만큼은 확실한 편이라고 스스로 생각해왔습니다. 하지만 그것은 내가 좋아하는 것들을 채우는 것을 잘 하는 것이지, 나에게 불필요한 것들을 비워내고 버리는 것은 꽤 어려운 일이라는 것을 깨달았습니다.

    미니멀 라이프를 시작하고 불필요한 물건을 비우기 위해 고르고 고르는 과정을 거치니 저만의 취향이 더욱 잘 보이기 시작했습니다. 제가 좋아히고 자주 사용하는 것들만 남겨지게 되니까요. 그런 물건들은 정말 반짝반짝 저만 알아볼 수 있는 빛이 납니다.

    평소 목걸이를 잘 하지 않고 화려한 귀걸이 보다는

포인트를 줄 수 있는 단순한 디자인의 귀걸이를 좋아합니다. 이런 저의 취향은 남아 있는 귀걸이의 종류를 보니 확실하게 알겠더라고요.

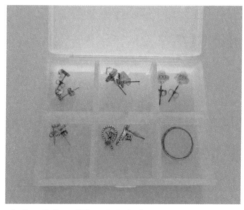

다이소에서 구매한 6칸짜리 약통

악세사리 개수를 최대 6개로 제한하고 다른 하나를 더 채우기 위해서는 하나를 비워야 하는 규칙을 세웠습니다. 이때 다이소에서 판매하는 약통이 유용합니다. 제가 좋아하는 것들로만 고르고 골랐는데, 여기서 하나를 비워야 한다면 웬만큼 맘에 들지 않고서는 안 될 일입니다.

하지만 취향은 언제든 변할 수 있습니다. 그래서 제가 정한 규칙 내에서 어떤 시도든 자유롭게 하려고 합니다. 이 방법을 시도하려는 분이 있다면, 처음부터 너무 적은 개수로 시작하기 보다는 20칸짜리 약통을 사서 불필요한 것들은 비우고, 정말 좋아하는 것들만 남겨 15칸 정도는 채우고 나머지 5칸은 앞으로 채워가는 것이 좋겠네요.

제가 미니멀 라이프를 하는 이유는 나에게 필요하고 좋아하는 것들로만 내 공간을 채우고 싶기 때문입니다. 나에게 잘 어울리는 색과 디자인이 무엇인지 잘 알고 그렇게 나만의 색깔, 나만의 분위기를 가지고 살아가고 싶기 때문입니다.

마음도
비움이
필요하다

아침에 일어나 집안일을 끝내 놓으면, 말끔히 정리된 집에서 커피 한잔을 마시면서 글을 쓰기 시작합니다. 제가 쓰고 있는 책의 주제가 미니멀 라이프이기에 아침에 집안일을 하다가도 글감이 마구 생겨납니다. 머리와 몸을 깨우는 동시에 저의 영감도 깨웁니다.

그런데 글을 쓰기 시작하면서 깨달은 것은 제 안에 정말 많은 감시자가 있다는 것입니다. 하루는 컴퓨터 근처에도 가기 싫은 날이 있습니다. 글이 쓰기 싫어서가 아닙니다. 모두가 마음에 드는 글을 적으려고 하는 욕심에 눌려 글을 쓰기 힘들어지기 때문입니다.

하지만 미니멀 라이프를 통해 스스로와 대화하는 법을 배웠기에, 이런 불안함이 어디서부터 오는지를 이해하고 불안해하는 저를 다독여

매일 아침 식탁에 앉아 글을 씁니다.

줄 수 있습니다. 무엇이든 잘 모르고 이해되지 않으면 불안할 수 있습니다. 내가 느끼는 이 마음을, 또 나의 감정을 이해한다면 흘려보낼 수 있습니다.

미니멀 라이프를 한다고 불안이 올라오지 않을 수는 없습니다. 만병통치약이 아니니까요. 하지만 그런 불안을 이해하고, 이런 저를 데리고 살아가기 위한 마음의 기둥이 세워진 기분이 듭니다. 불안이 올라올 때는 처음으로, 기본으로 돌아갑니다. 왜 책을 쓰고 싶은지, 그 마음을 들여다보면 내가 어떤 마음으로 글을 써야하는지, 다시 초심으로 돌아가게 됩니다.

항상 본질로 돌아가는 것이 중요합니다. 언제든 헤맬 수 있습니다. 미니멀 라이프는 인생길에서 본질로 돌아가서 생각하도록 하는 연습을 하게 해주었습니다. 덕분에 저는 이 책을 쓰면서 제 안의 불안도 비워봅니다.

그렇다고
다 버릴 수는
없잖아

사람마다 어느 정도가 소유하기 적당한지에 대해 의견 차이가 있을 수 있습니다. 누군가는 물건 1개로 충분하고 누군가는 5개가 필요합니다. 또 누군가에게는 필요하지만 다른 누군가에게는 필요 없는 물건일 수도 있습니다. 어떤 물건을 얼만큼 가질지는 오로지 자신에게 달려있습니다. 그러므로 '적당한 양이란 어느 정도인가?'에 대한 기준은 '내가 감당할 수 있는 만큼'입니다.

저와 신랑은 물건의 소유에 대한 가치관이 다릅니다. 저는 어떤 물건을 사용하는 날이 딱 하루밖에 없다면, 그 하루를 위해 물건을 1년 동안 보관하는 것보다 그 물건 없이 하루 불편한 것이 낫다고 말합니다. 하지만 신랑은 어떤 물건이든 놔두면 언젠가는 쓸데가 있다고 하죠. 생각해보면 저의 말도, 신랑의 말도 다 일리가 있습니다.

나무젓가락은 이 쇼핑백에 담기는 만큼만 보관합니다.

그래서 저희 부부는 서로의 가치관을 존중해 비울 수 없는 물건이라면, 보관은 하되 적절한 양을 정합니다. 저희 집에는 물건마다 그 물건만을 위한 자리와 제한된 공간이 있습니다. 그 공간을 넘어서는 양은 미련 없이 비워냅니다.

배달음식을 시키거나 음식 포장을 할 때 받아오는 나무젓가락과 플라스틱 숟가락은 예전 같았으면 받아오는 대로 다 보관 했겠지만, 이제는 한정된 공간을 염두해두고 적절한 양만 보관합니다.

또 여름만 되면 신기하게도 냉장고에서 세포분열 하듯 많아지는 아이스팩도 종종 즐기는 캠핑을 위해서 냉동실 한 칸이라는 공간을 만들어 그 공간을 넘어서는 아이스팩은 버리거나, 주민센터로 가져가 재사용합니다.

다 버릴 수 없어 어떤 물건을 소유하기로 결심했다면 그 물건의 양을 얼만큼 보관할지도 결심해야 합니다. 그러기 위해서 내가 감당할 수 있는 적당한 양이 어느 정도인지 알아가는 과정도 필요합니다.

홀가분한 기분에
중요한 것을
놓쳤다

　불필요한 물건을 비워내다 보면 나의 집과 마음이 홀가분해지고, 가벼워지고, 자유로워짐을 느끼는 순간이 옵니다. 불필요한 물건을 비워내고, 진짜 필요하다고 생각되는 물건만 있고, 그 외에는 여백으로 남겨둔 공간을 보며 내 마음도 정리되는 기분이 듭니다.

　그런데 이런 홀가분한 느낌을 넘어 어디 더 비울 것이 없나 둘러보고, 제 눈과 마음을 불편하게 하는 것들을 비워버리고 싶은 욕망이 불쑥불쑥 올라오기도 합니다. 저것만 없으면 참 좋을 것 같다는 이상하고 묘한 감정이 드는 순간이 옵니다.

제주도 집 거실

　제가 원했던 건 단순히 물건을 비우는 일은 아니었습니다. 처음에는 그저 쓰레기와 함께 살고 싶지 않다는 이유였고, 그래서 제 인생에서 쓰레기와 함께 불필요한 것들을 비워내다 보니 그 여백이 좋았고, 여유와 자유로움이 좋았습니다. 그러다 점점 비워진 공간과 시간을 나를 위한 시간으로 채우고 싶고, 신랑과 이 집에서 좋은 시간을 보내고 싶고, 사랑하는 사람들과도 잘 지내고 싶은 마음으로 채워졌습니다.

　그러던 제가 멀쩡한 물건도 비워버리고 싶고 신랑이

집으로 가져오고 구매하는 물건들을 보면서 제 마음이 불편해지는 것을 느낄 수 있었습니다. 저는 무엇을 더 비워내고 싶었을까요? 아니면 무엇을 더 채우고 싶었을까요?

아마도 비워내고 나서 얻은 그 홀가분한 마음, 그 마음을 계속 채우고 싶었던 것 같습니다. 그 마음을 계속 느끼려고 끊임없이 비워낼 무언가를 찾고 있었던 거죠.

시시때때로 변하기도 하고, 편안했다가 요동치기도 하는 것이 우리의 마음입니다. 이런 변덕스런 마음이

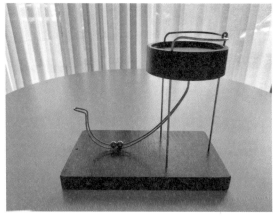

최근에 구매한 신랑의 장난감, 스위치를 켜면 저 구슬이 무한히 순환하는 키네틱 아트 장난감입니다. 신랑은 무한히 도는 저 구슬을 바라보고 있으면 마음이 편안해진다고 합니다. 신랑의 마음을 편안하게 만드는 저 장난감을 저도 이제는 좀 사랑해 보려고 합니다

계속 변치 않기를 바라는, 철없는 아이 같은 마음으로 미니멀에 너무 집중한 나머지 저의 소중한 일상들을 보지 못했던 것입니다.

이제는 어떤 물건을 보고 더 비워내고 싶은 생각이 들 때면 불편해지는 마음 대신 제 인생에서 무엇이 중요한지 한 번 더 생각해보고, 이 물건을 좋아하는 상대의 마음을 한 번 더 생각해 봅니다. 제가 미니멀 라이프를 하는 이유는 저와 제 가족이 행복해지기 위해서입니다. 미니멀 라이프는 제 삶의 수단이지, 목표가 아닙니다.

미니멀 라이프는
　버리고,
사지 않는 거라고요?

　　미니멀 라이프를 시작하고 나서는 일부러 쇼핑을 나가지 않았습니다. 우연히 쇼핑센터를 지날 때면 일부러 쳐다보지도 않았습니다. 예쁜 물건과 옷을 좋아하는 제가 눈으로 보면 사고 싶어질 것이기에 차라리 보지 않기로 했습니다. 어렵게 비운 그 공간을 다시 쓰레기로 채우고 싶지 않았기 때문입니다. 어렵게 얻은 그 공간에서의 여유와 자유로움을 다시는 잃고 싶지 않았습니다.
　　하지만 분명 자유롭고 싶어 시작한 미니멀 라이프인데 가지 않아야 할 장소, 보지 말아야 할 광경들이 점점 많아지는 제 자신을 발견했습니다.

물론 비워내고 사지 않는 것 또한 미니멀 라이프의 여러 모습 중 하나일 수 있습니다. 하지만 저는 저의 욕망을 억제하는 삶의 방식은 오래 지속되지 못한다고 느꼈습니다. 억제당하는 무언가는 언젠간 터져버리기 마련이니까요. 그리고 자신의 욕망을 욕망 그대로 느끼지 못한다면 삶의 생기를 잃는 일일뿐더러 나다운 삶과는 거리가 먼 일입니다.

그제서야 저는 채움에 대해서 생각해보게 되었습니다. 무조건 채우지 않겠다는 결심 보다는 정말 좋아하는 것들을 채우고 싶었습니다. 그러기 위해 제가 원하는 것이 무엇인지, 좋아하는 것은 무엇인지 정확히 알아야 했습니다. 제 눈을 가리고 마음을 억제하기 보다 제가 좋아하는 것을 선택할 수 있도록 많은 선택지를 둘러보고 제 마음을 탐색하는 것이 필요했습니다.

욕망을 억제하거나 부정하는 것이 아닌 그 욕망에 지배당하지 않는 것이 중요합니다. 오히려 그 욕망을 내가 지배하여 주체적으로 그 욕망과 대화하고, 통제할 수 있어야 합니다. 저에게 있어 미니멀 라이프는 욕망을 억제하는 삶의 방식이 아닙니다. 오히려 그 욕망을 더욱 뾰족하게 만들어 내가 원하는 것이 무엇인지 정확하게 알아가는 삶의 방식입니다.

심리검사보다
정확한
나 설명서

단순히 쓰레기와 함께 살고 싶지 않아서 시작한 미니멀 라이프. 제가 한 일이라고는 물건 하나를 비울지 말지를 선택하는 것이었는데, 그렇게 물건 하나하나를 들여다보는 시간 동안 저는 '나'라는 사람에 대해서, 그리고 제가 가진 욕망에 대해서 많이 알게 되었습니다.

그저 집에 있는 물건 하나였지만, 그 물건 속에는 나에 대한 수많은 정보들이 담겨 있었습니다. 그 물건이 이렇게 집에 존재하는 것 자체가 자신이 어떻게 사고하고, 선택하고, 결정하는 사람인지를 보여주고 있었던 것입니다.

하물며 책 한 권에는 저의 이상을 볼 수 있었고, 쓰레기통과 이 빠진 접시에서는 저의 고정관념을, 유통기한이 지난 라면과 김에서는 저의 무지를 볼 수 있었고, 그런 모습을 알았기에 또 비워낼 수 있었습니다. 심리검사에서도 나오지 않던, 저라는 사람에 대한 정보를 알려주는 미니멀 라이프인데 이 어찌 재미있지 않을 수가 있겠고 어찌 신기하지 않을 수가 있을까요?

처음부터
지저분한
집은 없다

　신혼집에 들어가기 전, 신랑과 함께 여러 곳의 인테리어 전문점에 들러 상담을 받았습니다. 제가 원했던 것은 무몰딩과 간접조명이 있는 거실, 그리고 걸레받이는 최소한의 면적으로 하는, 세련되고 깔끔한 집의 모습이었습니다.

　그렇게 새로운 집의 모습을 상상하며 설레는 나날을 보내다 이전 세입자의 짐이 다 빠진 후 텅 빈 신혼집의 모습을 마주하자, '이 집이 이렇게 괜찮았나?'라는 생각이 들었습니다. 거실의 큰 창으로 보이는, 맞은편 예쁜 성당의 모습과 여백을 드러낸 집의 모습에 반해 결국

해 질 녘 우리집 아파트 밖으로 보이는 성당 전경. 한 폭의 그림 같았습니다.

도배만 하고 들어가기로 결정했습니다.

원하는 인테리어를 했어도 좋았겠지만, 도배만 하고 들어간 우리집도 꽤 괜찮았습니다. 도배 후 깔끔해진 집을 보면서 이 집의 원래 모습을 기억하고 싶었습니다. 이 그대로의 모습이 많이 가려지지 않도록, 여백을 많이 두고 나머지는 나와 신랑이 진짜 좋아하는 것들로 채우고 싶다는 생각을 했습니다.

처음부터 지저분한 집은 없습니다. 모든 집의 처음 모습은 텅 비어 있는, 그 자체였을 겁니다. 그리고 그 공간에 우리가 필요하고 좋아하는 물건과 더불어 우리의

우리집 아파트 거실

고정관념, 욕심, 욕망 등이 입혀진 물건들도 함께 채워
집니다.

원하는 것들로 채우는 일은 그리 어렵지 않습니다.
하지만 채움을 절제하는 일, 그리고 내가 원하는 공간
으로 유지하는 일은 참으로 어렵습니다. 우리가 스스로
를 잃지 않고 살아가려고 노력하듯 우리의 집도 원래의
그 모습을 잘 유지할 수 있도록 노력해야 합니다. 우리
스스로를 돌보듯 집도 그렇게 돌보아야 합니다.

비우고 나서
　한 번도 후회한적
　없냐고요?

　　가끔씩 사람들이 저에게 물건을 비우고 나서 후회한 적 없냐는 질문을 합니다. 솔직하게 말씀드리면, 후회가 되고 아쉬운 순간들이 있습니다.

　　얼마 전에도 평소 잘 신던, 하나밖에 없는 샌들이 못 쓰게 되면서, 작년까지 종종 신었던 쪼리가 생각났습니다. '그게 어디 갔지 혹시 버렸나?' 하고 찾으니 이미 비움 한 후였습니다. 제가 말한 후회가 되고 아쉬운 순간입니다. 하지만 내가 왜 버렸을까를 생각해보면 다 이유가 있습니다.

　　그 쪼리는 예쁘긴 한데 걸을 때 소리가 정말 크게 났습니다. 그래서 소리를 안 내고 걷느라 집에 돌아오면

샌들 뒤 끈이 떨어져서 잠시 쪼리로 만들어 신고 다니다 이마저도 불편
해서 비움했습니다.

종아리 근육이 욱신거렸습니다. 찾을 때 없는 지금 당장
은 좀 아쉽지만, 지금을 제외하고 이때까지 필요한 순간
도 없었고 이 한순간을 위해서 그동안 그 쪼리를 가지고
있지 않은 결정은 잘한 선택이었다고 생각합니다.

비움하고 난 후 후회가 되는 순간이 있다면, 마치 헤
어진 연인을 그리워하며 떠올리는 것과 같을지도 모릅
니다. 분명 헤어진 이유가 있을 텐데, 힘들고 외로우면
잠시 생각나는 것. 하지만 그런 사람 곁에 있다고 내가
행복해질까요? 그저 외로움을 잠시 달랠 뿐입니다.

물론 비움 한 후 후회가 되어 같은 물건으로 다시 채

움을 한 적도 있습니다. 그런 경우에는 이 물건의 소중함을 두 배, 세 배 느끼고 두 번, 세 번 고민하여 채움 하는 것이므로, 나에게 있어 이전과는 다른 물건이 되는 것입니다.

1년 365일 중에 그 물건이 필요한 하루를 위해 364일 동안 그 물건을 보관하고 정리하고 관리하는 것을 선택할지, 364일을 그 물건으로부터 자유롭게 살다가 필요한 순간 가지고 있는 물건으로 대체하거나 혹은 빌리는 게 좋을지는 각자의 선택입니다. 옳고 그른 것은 없습니다. 당신은 어떤 선택을 할 건가요?

결론적으로 저의 경우, 물건을 비움하고 나서 후회한 적은 종종 있었지만, 그때마다 지금까지 그 물건 없이 홀가분하게 살아온 것을 생각하면 다시 돌아가더라도 저는 같은 선택을 할 것입니다. 이제는 '그 물건이 필요한 순간에 없으면 어쩌지?' 하고 떠오르는 걱정이나 두려움 보다는, 홀가분하게 살아가는 시간들이 저에게는 더 가치 있다는 결론에 도달했기 때문입니다. 그리고 저만의 비움 상자(비울까 말까 고민되는 물건은 가상으로 버려 본다고 생각하게 만드는 상자)라는 안전장치를 늘 활용하기에 이제는 그런 후회의 순간들이 점점 줄어들고 있습니다.

CHAPTER 2.

채움

물건을
신중하게
구매하는 법

　요즘도 저는 카페를 가면 커피를 주문하고, 기다리는 동안 옆에 진열되어 있는 머그잔과 텀블러를 둘러봅니다. 예전에 집에 차고 넘치는 게 머그잔과 텀블러였고, 미니멀 라이프를 시작하고 많은 것을 비우고 나서도 여전히 새로운 것들에 마음이 설레고, 예뻐 보이고, 사고 싶은 마음이 듭니다. 저는 예쁜 것을 참 좋아하는 사람이니까요.

　하지만 예전과 지금의 제가 달라진 점이 있습니다. 어떤 물건이 예뻐서 내 눈을 사로잡았다면 그 물건을 세척하고, 보관하고, 관리하는 나의 모습을 떠올려봅니다.

세척하기 편한지, 혹시 세척을 위한 특별한 도구가 필요한지, 구매한다면 보관은 어디에 할 것인지, 즉 이 물건을 구매한 후에 어떤 관리가 필요한지를 그려봅니다. 저는 이 물건을 구매하는 사람인 동시에 관리하는 사람이기에, 이 물건이 제 손에 들어오는 순간부터 관리하기 위해 어떤 수고를 해야 하는가를 꼭 생각합니다.

그 다음으로는 이 물건을 대체할 만한 것이 이미 우리집에 있지 않은지도 생각해봅니다. 예전에 텀블러 세척솔을 구매한 적이 있는데, 세척솔의 제작 원리를 보니, 집게에 수세미를 고정시켜 놓은 형태였습니다.

그렇다면 굳이 텀블러 세척솔을 따로 살 필요없이, 집에 있는 집게와 수세미를 이용하면 될 일이었습니다. 이것을 깨달은 저는 물건 구매 전, 현재 가진 물건의 조합으로 해결이 가능한지 생각해보는 습관이 생겼습니다.

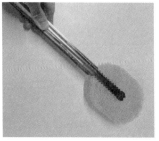

집게와 수세미가 만나니 텀블러 수세미로 탈바꿈했습니다.

이때 호기심 가득한 눈으로 집 안의 물건을 둘러볼 때면 탐험가, 혹은 발명가가 된 것 같은 기분이 들기도 합니다. 집게를 집게로만 봤을 때는 몰랐지만, 수세미와의 조합으로 텀블러 세척 솔이 될 수 있는, 집게의 또 다른 가능성을 발견했을 때의 그 짜릿함이란!

마지막으로 그 물건이 필요하다고 느끼는 순간을 적어도 3번 이상 마주할 때까지는 구매를 기다려 봅니다. 우리는 스마트폰 터치 한 번이면 다음날 집 앞에 물건이 도착해 있는, 편리하고도 빠른 속도의 시대에 살고 있습니다. 그만큼 쉽고 빠르게 물건이 늘어날 수 있다는 것을 의미하기도 하지요. 어떤 물건이 필요하다고 생각하고 바로 구매 버튼을 누르기 전, 그 물건이 필요하다고 느끼는 순간을 여러 번 마주해봅니다. 횟수가 거듭될 수록 우리의 마음은 확신으로 가득 차게 될 것입니다. 그때 그 물건을 구매해도 늦지 않습니다. 빠른 속도의 시대에서 적어도 내 인생의 속도를 조절하는 것은 나 자신이여야 합니다. 그래야 여기저기서 쏟아져 나오는 물건과 광고의 늪에서 허우적대지 않고 나를 지킬 수 있습니다. 어떤 물건을 구매하기 전, 나를 존중하는 마음으로 물건 보는 눈을 기른다면, 만족도 높은 물건을 채움 할 수 있을 것입니다.

나의 시간과
에너지를 바꿀
가치가 있는 것

미니멀 라이프를 하고나서 저의 시선은 조금 변했습니다. 예전에는 예쁜 인테리어나 가구, 소품들을 보면 마냥 좋고 설레기도 하고 소유하고 싶었습니다. 그런데 이제는 그런 것들이 마냥 예뻐 보이지만은 않습니다. 저런 인테리어를 유지하기 위해, 혹은 저 물건을 관리하기 위해 얼마나 많은 에너지와 시간을 소비해야 하는가를 먼저 생각하게 되었으니까요.

그 어떤 것도 그냥 유지되는 것은 없습니다. 일도, 사랑도, 결혼도, 건강도 모두 그냥 유지되는 것은 없습니다. 자신의 삶으로 들어온 것들은 자신의 손으로 직접 가꾸어야 합니다. 나의 시간과 에너지를 써야 합니다.

햇살을 맞으면서 책을 읽는 시간은 무엇과도 바꿀 수 없는 행복한 시간입니다.

그래서 저는 그 일에 저의 에너지와 시간이 투입될 가치가 있는 것인지를 먼저 생각합니다.

그리고 어떤 물건을 갖고 싶은 마음이 커서 내가 감당할 수 있는 한계 이상을 가질 때는 반드시 그에 따른 결과를 책임져야 합니다. 그래서 무엇 하나 허투루 가지지 않으려고 합니다.

'아니 물건 하나 구매하는데 무슨 책임까지 따지냐'고 묻는다면 저는 왜 그런 생각조차 하지 않고 물건을 쉽게 구매하는지 스스로에게 물어봐야 한다고 생각합니다.

에너지와 시간의 가치를 따져 소중한 나의 에너지와 시간을 들여서라도 갖고 싶은 무언가를 발견하고, 가졌을 때는 그것에 대한 만족감도 상당합니다. 나아가 이제는 이 물건이 무엇으로 어떻게 만들어졌는지, 어떻게 버릴 것인지, 이 물건의 시작과 끝을 그려볼 수 있게 되었습니다. 물건의 생명은 무한하지 않으니까요.

그렇다고 매번 모든 저의 구매 물건들이 성공적인 것은 분명 아닙니다. 하지만 그 횟수를 늘려가는 것. 그것 만으로도 성공 아닐까요?

나만의
취향
찾는 법

당신은 쇼핑할 때 어떻게 하나요? 저는 쇼핑할 때 마음에 드는 물건 다섯 가지를 발견하면, 모두 구매하곤 했습니다. 만약 금전적인 이유로 구매할 수 없을 때에는 나의 능력과 환경을 탓하기도 했습니다. '돈이 조금만 더 있으면 저거 다 살 수 있을 텐데⋯⋯.', '돈이 더 있었으면 좋겠다.', '돈을 더 벌 방법, 어디 없을까?' 하는 생각을 했지만, 곧 후회하곤 했습니다. 예뻐서 충동적으로 구매했지만, 정작 필요하지 않은 경우가 많았기 때문입니다. 그로 인해 그렇게 구매한 물건들은 결국 안 입고, 안 쓰고, 관리되지 못한 채, 집구석 어딘가에 방치될 뿐이었습니다.

한편 미니멀 라이프를 시작하고 나서는 불필요한 물건을 비우는 것도 중요하지만, 잘 채우고도 싶었습니다. 그래서 시도한 것이 가장 좋아하는 것 단 하나를 고르는 연습이었습니다. 마음에 드는 여러 개의 물건 중 마음속으로 이상형 월드컵을 거쳐, 그중 가장 마음에 드는 단 한 가지를 고르는 훈련입니다.

여기서 한 가지라는 의미는 개수보다는 '내가 정말 원하는 것'이라는 의미에 가깝습니다. 하나를 남기기 위해 5개 중 3개를 고르고, 다시 마지막 하나를 고르면서 스스로 끊임없이 질문하고 답했습니다. 그러면서 나의 욕망과 취향이 점점 선명해지는 순간을 경험했습니다. '내가 원하는 것은 바로 이거였구나!' 하면서요.

하지만 이때, 아무것도 선택하지 않기도 합니다. 어떤 물건을 가지고 싶은 마음, 그 밑에 더 근본적인 욕망을 알게 되면 그 마음을 알아주는 것만으로도 충분해질 때가 있어서입니다. 혹은 조금 더 만족할 만한 것을 찾아 나서거나, 사실 그렇게까지 원했던 것이 아니었다는 것을 깨닫기도 합니다.

제가 이런 과정을 거쳐 물건을 구매하는 이유는 미니멀 라이프를 통해 사람의 한정성을 인식한 덕분입니다. 돈이 아무리 많아도, 그 물건을 보관할 장소가 아무리 넓어도, '나'라는 사람이 감당할 수 있는 시간과 에너지는 한정되어 있습니다. 이런 제한된 조건을 고려하여 내가 감당할 수 있고, 정말 원하는 물건으로만 내 주변을 채우고 싶어 조금 덜 원하는 것들은 그냥 흘려보낼 줄도 알게 되었습니다.

누가 더 많이 가지나 경쟁하는 현대 사회에서 미니멀 라이프는 내가 진짜 원하는 것이 무엇인지 알려주었습니다. 또한 나의 욕망과 취향을 더욱 뾰족하고 단단하게 만들어 어떤 것이든 내가 감당할 수 있는 에너지와 시간의 양만큼만 선택하는 용기와 힘을 가질 수 있게 해주었습니다.

취미가 많은 당신과 함께 산다는 것

제가 신랑에게 반한 순간이 있습니다. 한창 연애할 때,

"오빠, 만일 100억이 있다면 뭘 하고 싶어요?"

라는 저의 질문에

"음... 그냥 저축하고 나중에 하고 싶은 게 생기면 그때 쓸 거 같은데요? 이미 난 좋아하는 일을 하고 있고, 놀고 싶은 거 지금도 실컷 놀고 있으니, 굳이 지금 당장 100억을 어딘가에 쓰진 않을 거 같아요."

제가 그 남자에게 반한 순간입니다. 지의 이상형은 바로 자신이 좋아하는 일을 하는 사람이거든요.

우리는 하루 중 대부분의 시간을 생계를 위한 일을

스노클링하는 신랑의 모습

하면서 보냅니다. 사실 자신이 좋아하는 일을 직업으로 삼는 사람이 얼마나 될까요? 그만큼 자신이 하는 일을 좋아한다는 것은 정말 큰 행운입니다.

제가 '자신의 일을 좋아하는 남자'를 이상형으로 삼은 이유는 자신이 무엇을 좋아하는지 알고, 그 일을 직업으로 삼은 사람은 어떻게 살아야 자신이 행복해질지를 알고, 어떤 사람과 함께 사는 것도 행복한 일인지 알고 있을 거 같다고 생각했기 때문입니다. 그런 사람과 함께 산다면 저도 참 행복할 거 같았습니다. 결혼을 하니 정말 제가 생각한 신랑의 모습 그대로였습니다. 그래서 그토록 좋아하는 제주도에서, 자신이 좋아하는 일을 하며, 좋아하는 사람과 살고 있는지도 모르겠습니다.

저희 신랑은 자신의 일도 좋아하지만 정말 잘 놉니다. 잘 놀기 위한 취미생활도 참 다양합니다. 스쿠버 다이빙, 스노클링, 골프, 여행, 드론, 요리, 차박, 캠핑, 패들보드, 자전거타기, 등산 등등. 그래서 취미의 종류만큼 그에 따른 물건도 많습니다. 맥시멀리스트는 아니지만, 호기심도 많아 신기한 물건을 구매히기도 합니다. 제 눈에는 전혀 쓸모가 없어 보이는 물건을 말이죠. 예를 들면 앞서 소개한, 구슬이 무한 순환하는 키네틱 아트 장난감 같은 것 말입니다.

패들보드 타는 신랑의 모습

신랑과 연애하면서, 또 결혼해서 살아가면서 심심할 틈이 없습니다. 시간만 나면 산으로 바다로 놀러다니기 바쁩니다. 놀러가서도 가만히 있지 못하고 드론을 날리고, 패들보드를 타고, 스노클링을 하면서 시간 가는 줄 모르고 놉니다. 맛있는 음식을 좋아하는 신랑은 한끼를 먹더라도 맛있고 정성 들여 요리를 하고 플레이팅도 먹음직스럽고 보기 좋게 만듭니다.

자신이 어떤 일을 좋아하는지를 알고, 그 일을 위해 노력하는 만큼 신랑은 자신의 인생에서 무엇이 중요한지, 자신이 무엇을 좋아하는지, 어떤 것에 행복을 느끼는 사람인지, 취향에 대해서 만큼은 선명한 사람 같습니다.

그럼에도 불구하고 가끔은 신랑이 새로운 취미를 가질 때마다, 늘어나는 물건들을 보며 불안한 마음이 생기기도 합니다. 장난삼아 "당신 때문에 나의 미니멀 라이프는 망했다."는 농담도 하곤 합니다.

하지만 신랑의 다양한 취미생활을 함께 하며 '인생을 여행처럼 살고 싶다'는 그의 철학 더분에 고요하고 성적이었던 저의 인생이 한층 넓어지고 풍부해졌습니다.

제게 가볍고 홀가분하게 살아가고 싶은 삶의 철학은

꽤 중요한 의미를 지닙니다. 하지만 어디까지나 제 삶을 더욱 의미있게 만들기 위한 수단으로서 미니멀 라이프를 하려고 합니다. 그렇기에 자유롭고 신나게 살고 싶은 신랑의 욕망을 잘 이해하고 얼마든지 자신의 호기심을 충족하고 다양한 시도와 실험을 하면서 살아갈 수 있도록 조력해주는 반려자가 되고 싶습니다. 이제는 나만을 위한 미니멀 라이프가 아닌 신랑과 함께 우리만의 생활방식을 만들어가는 그런 인생이었으면 좋겠습니다.

나의 삶에서
가장 먼저
채워야 할 한 가지

어느 날 신랑이 영상 하나를 보내왔습니다. 대략 큰 돌 여러 개와 작은 돌, 그리고 자갈과 모래를 어떤 순서로 유리병에 채워야 모두 채울 수 있는가에 대한 이야기였습니다. 분명 제가 아는 내용임에도 미니멀 라이프 관점에서 바라보니 조금은 새롭게 다가왔습니다.

여러분이라면 무엇부터 넣을 건가요? 이미 답을 아는 분도 있을 겁니다. 만약 모래나 자갈처럼 작은 입자를 유리병 속에 먼저 채운다면 어떻게 될까요? 큰 돌이 들어갈 공간이 부족해질 것입니다. 그렇다면 부피가 큰 돌을 가장 먼저 담으면 어떨까요? 빈 공간 사이로 자갈과 모래를 넣을 수 있으니 모두를 다 담을 수 있을 겁니다.

이 원리처럼 우리의 삶에서도 무엇을 가장 먼저 담느냐는 중요한 문제입니다. 여기서 돌의 크기를 우리 인생에서 중요한 정도를 표현한다고 했을 때 가장 큰 돌은 건강, 가족, 일, 돈, 사랑 등을 의미할 것입니다. 물론 개인마다 차이는 있을 겁니다.

당신의 삶에는 무엇을 가장 먼저 채우고 있나요? 그저 눈앞에 닥친, 중요하지 않은 일을 처리하느라 당신의 인생에서 소중한 것을 놓치면서 살아가고 있진 않나요? 만약 모래나 자갈처럼 불필요하고 덜 중요한 것으로 나의 인생을 채우게 되면 정작 나에게 필요한 일을 할 수 있는 시간과 에너지가 줄어들 것입니다.

예전의 저를 떠올려 보면 스스로를 항상 체력이 약하고, 시간을 효율적으로 사용하지 못하는 사람이라 여겼습니다. 그래서 자주 자책하곤 했습니다. 그러다 미니멀 라이프를 통해 불필요한 것을 비우고 내 인생에서 귀중한 일에 집중하기 시작하면서 깨달았습니다. 그동안 불필요하고 덜 중요한 일을 해내느라 정작 내 삶에서 중요한 일에 집중하기 위한 에너지와 시간이 부족했다는 것을요. 또한 체력이 좋지 못하고 내가 유용할 수 있는 시간이 많지 않으면 그 범위 안에서 내가 할 수 있는 일의 양을 알고, 그에 맞게 조율하는 방식이 결국은 나다운 삶을 사는 길이라는 것도 깨달았습니다.

　다시 말해 인생을 나답게 살아내려면 나의 유리병에 가장 먼저 담을 소중한 것이 무엇인지 알고 그것을 먼저 채울 수 있는 용기가 필요합니다. 미니멀 라이프를 통해 내 인생에 무엇을 비우고, 무엇을 담으며 살아갈지 선택하고 결정해 나가는 작은 연습 덕분에 저는 어제보다 조금 더 나다워진 오늘을 살고 있습니다.

내가 고민하는 건
　　가격이 아닌
　소유

　　결혼 후 집들이 선물로 받은 나무 도마. 한 번쯤은 써 보고 싶었는데 선물을 받고 어찌나 좋던지요. 나무 도마를 사용하면서 세척 후 늘 행주의 마른 면 위에다 세워놓았었는데 위생이 신경 쓰여 도마 받침대를 구매하고 싶었습니다. 이렇게 하나의 물건이 들어오면 그 물건을 관리하기 위한 물건이 필요해지기도 합니다. 그래서 물건 하나를 소유하는 것에 더욱 신중해집니다.

　　그렇게 고민한지 6개월. 요즘 도마 받침대의 가격은 만원이 채 되지 않습니다. 다이소를 가거나 집 앞 마트를 가도, 또 인터넷으로 구매를 하더라도 손쉽게 구매할 수 있는 물건이었습니다.

하지만 저에게 중요한 건 가격의 문제가 아닌 소유의 문제였습니다. 어떤 경로를 통해서든 우리집으로 들어오게 되면 그 물건을 정리하고 관리하는 데 들어가는 나의 시간과 에너지를 생각해야 하기 때문입니다. 그래서 어떤 물건 하나를 채움하는 데 고민하는 시간이 길어집니다. 저의 시간과 에너지가 소중하기 때문입니다.

구매 전 저만의 구매 결정 단계를 거칩니다. 우선 도마 받침대를 대체할 만한 물건이 이미 우리집에 있지는 않을지 생각해봅니다. 그리고 도마 받침대가 필요한 순간을 여러 번 맞이해봅니다. 그래서 필요하다고 생각되어 구매를 결정하게 되면 어디에 보관할지, 어떤 색상이 주방과 잘 어울릴지, 어떤 크기가 적당한지, 세척은 용이한지, 내가 궁극적으로 원하는 위생적인 문제를 해

고민하고 고민해서 구매한 도마 받침대

결할 수 있는지 꼼꼼하게 체크해봅니다.

이때 중요한 것은 이 모든 선택은 내 기준이라는 것입니다. 내가 원하고, 내가 생각하고, 내가 결정하는 것. 다른 누군가가 이 물건이 필요 없다고 하지만, 나에게는 필요한 물건일 수 있습니다. 정답이 있을 수 없습니다. 다른 사람이 아닌 나에게 질문하고 내 스스로가 답해야지 물건을 구매한 후의 만족도 내 것이 될 수 있습니다.

그렇게 채움 하게 된 도마 받침대. 매일 보고 있으면 행복하고 사용할 때도 편리하고 내 맘에 쏙 들어 또 살림이 즐겁습니다. 이런 맛에 앞으로도 계속 신중하게 고민해서 소유를 결정해 나가고 싶습니다.

아이보리 소파를
사고 싶은
이유

결혼 후 신혼집에 들어갈 가구를 고르면서 저는 아이보리 색을 사랑하는 사람으로서 예쁜 아이보리 소파를 구매하고 싶었습니다. 하지만 알뜰한 신랑은 자신의 자취방에서 쓰던 15만원짜리 시커먼 인조가죽 소파를 계속 사용하길 원했습니다. 다른 이유는 없었습니다. 쓸데없는 데 돈을 쓰고 싶지 않고, 아직 소파가 쓸 만하기 때문이라고 했습니다.

제가 아이보리 소파를 사고 싶은 이유를 생각해봤습니다. 물론 내가 보기에 좋으니까.
그렇다면 아직 쓸 만한 소파를 버리고 아이보리 소

우리집 거실에 놓여져 있는 시커먼 인조가죽 소파

파를 사고 싶은 이유는 무엇일까도 생각해보았습니다. 제가 보기에도 좋지만, 사진을 찍어 SNS에 올리면 예쁠 것 같았습니다. 그리고 손님들이 와도 예쁘다고 해줄 것 같았습니다. 그렇다면 이건 누구를 위한 채움인가 스스로에게 질문했습니다.

저에게 중요한 건 신랑과 이 소파에서 알콩달콩 TV도 보고, 영화도 보고, 때론 간식도 먹으면서 이야기를 나누는 시간을 갖는 것이었습니다. 그런 시간이 꼭 아이보리 쇼파에서만 가능한 건 아니었습니다. 그렇다면 아이보리 소파가 아니어도 어떤 소파라도 상관이 없을 것 같았습니다.

그렇게 우리 신혼집으로 들어온 시커먼 인조가죽 소파. 처음에는 이런 색깔의 소파를 쳐다보기도 싫었는데 이제는 우리 부부가 이 소파 위에서 보낸 행복한 시간이 녹아 있기에 사랑스럽기만 합니다. 하지만 이 소파가 생명을 다하게 된다면 그땐 가족들이 놀러 와도 다 같이 앉을 수 있는 큰 아이보리 소파를 사볼까 합니다.

멋내기를
포기하지
않는다

　적은 옷으로 생활한다는 것은 내 몸 상태를 가능하면 그대로 유지하는 노력이 필요함을 의미합니다. 그래서 저는 옷 보다는 몸에 투자합니다. 시간을 내서 발레나 수영 등 운동을 배우고, 평소에도 좋은 자세를 유지하면서 몸을 움직이는 활동들을 많이 하고, 좋은 음식들을 먹기 위해 노력합니다. 건강하고 군살 없는 몸에는 어떤 옷을 입혀도 빛나 보이기 때문입니다.

　이렇게 늘 나의 몸을 그대로 유지할 수 있다면 좋겠지만, 사실 우리의 몸은 계절 따라, 나이 따라 또 상황 따라 달라지기도 합니다. 취향이 변할 수도 있습니다. 그래서 옷을 더 이상 구매하지 않겠다는 다짐 보다는 옷장 안의 옷이 감당이 안 될 만큼 늘어나는 것만은 통제하겠다고 마음먹는 것이 조금은 더 현실적인 대안이 될 수 있습니다.

사실 어떤 옷을 입느냐 하는 고민은 이 옷으로 어떤 분위기, 혹은 어떤 이미지의 사람으로 보이고 싶은가에 대한 욕망에 가깝습니다. 그 고심의 결과로 옷장의 모습이 결정됩니다. 그리고 이런 고민이 쌓여 결국 자신만의 스타일을 완성하게 되는 것이죠.

저는 적은 옷으로 간소한 옷장을 가지고 싶은 마음 한편에 어떤 순간에도 여자로서, 개인으로서 멋내기를 포기하고 싶지 않은 욕망도 가지고 있습니다. 그래서 그에 따라 적절하게 옷을 구매하는 것도 필요하다고 생각합니다.

그런 제가 선택한, 멋내기를 포기하지 않으면서도 미니멀한 옷장을 유지하는 방법은 연간 옷에 지출되는 예산을 세우고 관리하는 것입니다. 1년간 멋내기 비용으로 지출할 금액들을 미리 통장에 넣어두거나 혹은 매달 일정한 금액을 통장에 넣고 필요할 때 그 안에서 사용하는 것입니다. 저의 옷 통장 이름은 '멋스런 생활'[1] 입니다.

제가 옷장 관리를 위해 옷 하나를 사면 가지고 있던 옷 하나는 비우는, 옷의 개수를 관리하는 방식이 아닌 옷을 구매하는 돈을 관리하는 이유는 옷을 좋아하고 옷으로 저라는 사람을 표현하고 싶은 욕망을 마음껏 실험할 수 있도록 하기 위함이고, 제한된 금액으로 이런 저를 적절하게 통제하기 위한 잠금장치의 의미도 있습니다.

몇 벌 되지 않는 옷으로 즐겁게 생활하다가도 가끔은 예쁜 옷들을 왕창 사고 싶은 마음이 들 때가 있습니다. 그럴 때마다 충동구매로 이어질 수 있는데, 이를 방지하기 위해 연간 옷을 관리하고 구매하는 데 들어가는 비용을 정해두는 것이 도움이 됩니다.

가끔 우리는 순간 생겨나는 감정이 진실이라고 믿는 경우가 많습니다. 인간이기에 그런 충동적인 감정이 생기는 것은 당연합니다. 하지만 감정을 매번 억누르기만 한다면 언젠간 터지기 마련입니다. 그래서 감정을 잘

---

1) 제가 좋아하는 책 『심리계좌』에서 배운, 통장 나누는 방법에서 따온 이름입니다.

내가 좋아하는, 한 벌 밖에 없는 아이보리 겨울 하프코트

이해하고, 어느 정도는 허용하며 감정을 잘 통제하는 것이 필요합니다.

저의 '멋스런 생활' 통장은 1년간 운용해야 하는 금액이기에 조금 더 신중하게 생각하게 되고, 정해진 예산 안에서 잘 사용하려는 마음을 가지게 됩니다.

이렇게 지속적인 운동과 건강한 식사를 통해 적은 옷으로도 멋내기를 할 수 있도록 하고, 징해진 에산 안에서 잘 활용해서 즐겁게 멋내기 생활을 해나갑니다. 제가 정말 좋아하는 옷들을 잘 입기 위해서입니다. 멋내기 만큼은 포기할 수 없거든요.

그릇을 더 이상
늘리고 싶지 않은
이유

텅 빈 거실은 가끔 레스토랑 라운지 바로 변신

저희 부부는 가까운 사람들을 집에 초대해서 편한 분위기에서 함께 식사하는 것을 즐깁니다. 하지만 그릇의 개수가 넉넉하지는 않기에 손님 오신 날이면 몇 개 없는 그릇과 컵이 총출동합니다.

제가 자취할 때 혼자 사용하던 그릇이 대부분이고,

결혼하고 필요한 것을 조금씩 사 모았습니다. 저희 신혼집에 딱 필요한 만큼만 가지고 싶어 세트로 그릇을 구매하지 않고 필요한 순간에 조금씩 구매하기로 했습니다.

도마, 트레이 등 손님 오신 날은 접시 대용으로 사용합니다.

신혼 초 시댁과 친정 부모님, 그리고 가족들과 함께 식사할 일도 종종 생기기도 하고 친구, 지인들과의 집들이를 위해서 넓은 면적의 상과 많은 그릇과 수저가 필요한 경우가 생기더라고요. 그래서 종종 생길 이런 상황에 대비해서 필요한 상과 그릇과 수저를 구매를 할까 고민도 했지만, 신혼 초에만 챙겨야 하는 행사도 있었고 또 매년 하게 되는 행사가 있다고 하더라도 일년에 몇 번 없을 그 자리를 위해 보관만 하게 될 물건을 들이고 싶지 않았습니다.

다행히 친정이 곁에 있어서 그럴 때는 친정찬스를 활용했습니다. 필요한 상과 그릇과 수저들을 빌려왔다가 다시 가져다 드리는 방식을 이용했습니다. 2~3번

친정 찬스를 쓰다 보니 빌려온 그만큼의 양은 아니더라도 우리에게 어떤 그릇들이 더 필요한지도 알 수 있었습니다.

친정찬스로 빌려온 큰 상과 그릇, 방석들

가끔 그릇을 조금 더 사야 하나 하는 고민을 하기도 하지만, 손님이 돌아가시고 난 후 설거지를 하면서는 얼마 없는 그릇 개수가 고맙기까지 합니다. 어떤 물건을 충분히 가지고 있는 것도 좋지만 내가 감당할 수 있는 양을 알고 그만큼만 가질 수 있는 용기를 내는 것도 중요합니다.

우리집 그릇 전부가 들어있는 상부장

내가 할 수
있는 만큼만
보관한다는 것은

"완전 정리 수납의 여왕이시네요!"

결혼 전 혼자 살 때 이사하던 날 이삿짐 센터 사장님이 저에게 하신 말씀입니다. 별거 없어 보이던 저의 자취방에서 어디서 그렇게 나오는 건지, 짐이 끝도 없이 나오더군요. 그때는 칭찬인 줄 알았지만, 지금 생각해 보면 그 집에서 사는 동안 한 번도 사용하지 않았던 물건들을 어쩜 그리도 깊숙이, 손 닿지 않은 곳까지 차곡차곡 잘 쌓아두고 살았는지. 과거 저의 모습을 반성하게 됩니다.

미니멀 라이프를 시작하고 나서 물건의 보관에 대한

생각을 많이 했습니다. 예전에는 집안에 보관 공간이 있다면 그 공간에 이 많은 물건을 어떻게 효율적으로 넣을 수 있을까 고민했습니다. 깊숙하고 높은 곳, 손이 닿지 않은 높이에도 공간이 있다면 무조건 물건을 차곡차곡 넣어두었습니다. 그래서 좁은 주방 넓게 쓰는 방법, 효과적인 수납방법, 많은 옷 효율적으로 보관하는 방법도 많이 찾아보았지요.

하지만 이젠 수납을 잘 하는 방법, 혹은 더 많은 물건을 보관하는 방법 같은 건 고민하지 않습니다. 제 손이 닿는 높이의 공간까지만 보관하고 그 공간에 들어가는 만큼의 물건만 가지려고 합니다. 결국 제 손에 닿을 수 있는 물건들, 그리고 꺼내 쓰기 편한 것들만 사용하는 저의 모습을 발견했기 때문입니다.

그래서 저희 집 맨 위 선반들은 늘 비워 두려고 합니다. 제 작은 키가 닿지 않은 곳이기에 그곳에 물건을 보관하면 꺼내기가 불편하거든요. 선반에 물건을 보관할 때도 가능하면 두 겹이 되지 않도록, 그래서 뒤쪽 물건을 꺼내기 위해서 앞쪽 물건을 치워야 하는 그런 불편함도 피하려고 합니다. 어차피 그렇게 꺼내기 힘든 물건은 자주 사용하지 않게 되고, 결국 보관만 하게 되기 때문입니다.

종이가방을 이용해 만든 수납함

　예전에는 자주 사던 수납함도 이제는 가능하면 구매
하지 않으려고 합니다. 수납함을 사용하지 않고도 자체
수납장의 공간만을 이용해서 보관할 수 있는 물건의 양
만 보관하고 싶기 때문입니다. 만약 수납함이 필요하다
면, 구매하기 전 종이로 된 쇼핑백을 활용해서 수납함
을 대신해 먼저 사용해봅니다. 집집마다 수납장의 깊이
와 높이가 달라서 이 집에서는 잘 사용했던 수납함이
이사간 집에서는 잘 맞지 않아 사용하지 못하게 되는
경우도 있고, 불필요한 물건을 비워내면서 비워진 수납
함이 짐이 되는 경우도 있기 때문입니다. 사용하던 물
건들이 비워지고 채워지는 과정에서 필요한 수납함의
사이즈가 달라지기도 하기에, 종이가방이라면 사용하
다 가볍게 비워낼 수 있고 다른 종이가방으로 쉽게 대

체할 수도 있습니다.

　물건 보관에 있어서도 내가 할 수 있는 만큼이 어느 정도인지 알고, 그 선을 지켜내려 노력하는 것도 나를 사랑하고 우리집을 사랑하는 방법입니다.

나는
모순덩어리
미니멀리스트

　어느 날 인스타에서 밀대 광고를 봤습니다. 광고 속 영상에서 밀대의 성능과 효과를 보여주는 순간, 이것만 있다면 우리집이 더 깨끗해질 것만 같았습니다. 사실 이 당시 물걸레 청소를 하기 싫어 며칠을 미루고 있었기에 저 밀대만 있으면 청소할 맛이 날 것 같았습니다. 밀대로 항상 깨끗한 우리 집이 유지되는 상상을 하며 확신에 차 결제 버튼을 누르려는 순간, 저는 다행히도 우리집에 이미 물걸레 청소기가 있다는 사실을 깨달았습니다. 지금도 여전히 종종 마주하는 충동적인 저의 물건 구매 현장을 고백합니다.

우리집 청소기 겸 물걸레 청소기

그 순간 저의 마음은 뭐였을까요? 아마도 제가 며칠째 물걸레 청소를 하지 않은 이유를 그 물건 탓으로 돌리고 싶었기 때문이었을 겁니다. 나의 게으름이 아닌, 저런 물건이 내게 없었기 때문에 나는 청소를 하지 않고 있다고. 이렇게 생각하면 청소를 하지 않고 있는 죄책감에서 잠시나마 벗어날 수 있었기 때문이 아닐까요?

하지만 문제는 도구의 유무가 아닌 제 마음의 문제였습니다. 청소를 하기 싫어하는 저의 마음. 물론 밀대를 구매하고 며칠은 잘 사용할 수 있을 겁니다. 하지만 청소를 하기 싫은 마음은 언제든 생깁니다. 그럴 때마다 제가 해야 하는 일은 청소 도구를 늘리는 것이 아닌 행동과 생각을 멈추고 가만히 기다려주는 일일 겁니다. 그저 제 마음을 받아주는 일 말이죠.

'청소하기 싫음 안 해도 돼. 그러다 또 하고 싶은 날이 생기겠지. 이런 날도 있는 거지. 언제나 완벽할 순 없잖아?'

미니멀 라이프를
지속할 수 있는
나만의 규칙

미니멀 라이프를 실천하면서 "무조건 사지 않는다!"라는, 욕망을 억제하는 방향은 저에게 맞지 않는다는 것을 알게 되었습니다. 이 또한 미니멀 라이프의 여러 모습 중 한 면이겠지만, 저는 저를 자유롭게 만드는 미니멀 라이프의 모습을 더 좋아합니다.

모든 자유에는 책임이 따르기 마련입니다. 자유를 잘 즐기려면 그 자유를 잘 지켜내는 것이 필요합니다. 나만의 규칙을 만들고 그 규칙안에서 지유롭게 시도하는 것.

예를 들어 '5컬레의 양말이 있고 이것으로 충분하니

더 이상 구매하지 않는다.'는 규칙 보다는 '조금 여유를 둬서 10컬레의 양말을 벗어나지 않을 것이다.'라는 규칙을 세운다면 앞으로 5컬레는 더 구매할 수는 있지만, 여유가 무한정 있지는 않기에 이후 소비에 신중할 수 있습니다. 그리고 그 10컬레가 다 채워졌으면 또 다른 양말을 구매할 때 가지고 있는 양말 중 하나를 비워내야 하는 규칙은 꼭 지켜야겠죠. 지금 가지고 있는 양말 보다 더 마음에 드는 양말을 구매해야 하니 구매를 하면서 나의 취향을 더욱 확실하게 알아가는 과정이 될 테고, 그렇지 않다면 내가 가진 것에 만족할 수 있는 기회이자, 이 또한 내가 무엇을 좋아하는지 나의 취향을 더욱 뾰족하게 확신할 수 있는 기회가 될 것입니다.

　미니멀 라이프를 지속하려면 기준을 너무 빡빡하게 잡지는 말되, 정해진 기준은 꼭 지켜내겠다는 의지가 필요입니다. 그리고 그 기준을 지키지 못했다면 그 뒤에 오는 어수선함과 어지러운 공간은 내가 책임지고 감당해야 할 부분입니다. 어느 것이 옳고 그른 것은 없습니다. 다만 내가 감당할 수 있는 걸 선택하면 될 뿐!
　나의 욕망이 흐르는 방향으로 나의 인생도 흘러가길, 그리고 나만의 규칙 안에서 그 욕망이 더욱 뾰족해지고 선명해지는 인생을 살기를 바랍니다. 그 방향이

나 자신을 더욱 나답게, 그리고 자유롭게 하는 길이기 때문입니다. 그래서 저는 오늘도 미니멀 라이프를 합니다.

행복해지는
법을
    안다는 것

"기분이 좋아질 때까지 기다리지 마라. 나 대신 일을
해줄 마법 같은 기분을 찾아 꼼짝 않고 있지마라."

『시작의 기술』중

당신은 당신만의 행복리스트가 있나요? 미니멀 라
이프를 하다 보니 점점 내가 좋아하는 집에서, 내가 좋
아하는 일을 하면서, 내가 좋아하는 물건을 가지고 살
고 싶다는 생각이 들었습니다. 불필요한 것을 비우고
남는 시간과 에너지로 정말 내 인생에 중요한 것들에
집중하면 불가능할 줄 알았던 일들이 실현될 수 있을
거라는 믿음도 생겼습니다.

그래서 제가 좋아하는 순간들을 많이 만들고 싶었습니다. 제가 좋아하고 제가 행복을 느끼는 물건, 순간을 기록하기 시작했습니다.

내가 좋아하는 샐러드

아침 햇살, 커피 향, 뽀송뽀송한 바닥, 종이 책 냄새, 책을 읽으면서 마주치는 나의 가슴을 울리는 문구, 글을 쓰는 순간, 내 발에 딱 맞고 가벼운 신발, 질 좋은 휴지, 명상 후 충만해진 마음상태, 운동 후 단단하게 느껴지는 몸, 빗소리, 신선한 샐러드, 도서관 가는 것, 신나는 노래 듣기, 손톱 발톱 깎기, 아이보리색 옷 등등.

행복리스트에 있는 행복을 자주 꺼내어 저에게 주고 싶었습니다. 가장 사랑하는 사람에게 사랑을 주듯이 말입니다. 행복은 어떤 물건이나 상황만이 아닌, 항상 우리 옆에 있는데 우린 그걸 느끼기가 어렵다고 합니다. 우리는 그저 바로 옆에 있는 행복을 발견하고 느끼기만 하면 되는데 말입니다. 그래서 행복 찾기도 연습이 필요한 것 같습니다.

지금 현재 나를 이루고 있는 나의 세상, 즉 나 자신부터 주변 모든 상황까지 전부 과거의 내가 만들어낸 모습들이라고 합니다. 행복해지고 싶다면 우리는 자발적으로 그 행복을 찾아 나서야 합니다. 행복해지기 위해 만들어내는 지금의 노력들이 미래의 제 모습이 될 테니까요.

행복 리스트를 채울수록 저는 하루하루의 시작이 참 기대됩니다. 불필요하고 나에게 중요하지 않은 물건, 혹은 일들을 걷어 내고 정말 나에게 중요하고 내가 좋아하는 것들로 인생을 채워가고 있는 제 모습이 꽤 멋져 보이기 때문입니다.

상상 속
편리함에
속지 말자

저는 물건을 구매하기 전에 이미 그 물건을 가지고 있는 사람으로부터 빌려서 사용해보거나 대체할 수 있는 물건들로 사용을 해보고 나서 구매를 결정하는 편입니다.

저는 커피를 매우 좋아합니다. 친정에 가면 늘 엄마가 식사 후에 커피콩을 갈아 드립커피를 내려주시는데, 그 향과 맛을 참 좋아합니다. 그래서 저희 집에서도 똑같이 해먹고 싶어 커피와 드립커피 용품 구매를 고민하고 있었습니다.

그 전에 엄마에게 부탁해 드립커피 도구들을 당분간 빌려서 사용해 보았습니다. 그랬더니 커피를 갈고 물을

끓이고 드립을 하는 과정이 꽤 귀찮게 느껴졌습니다. 결국 몇 번 사용하다가 그만두고 제가 원래 해오던, 익숙한 커피 만들기를 하는 저를 마주했습니다. 만약 이 과

친정에서 빌려온 드립커피 도구들

정 없이 물건을 구매했더라면 몇 번 사용하다가 어딘가에 처박혀 먼지만 쌓였겠지요. 언젠간 기회가 되면, 혹은 여유가 되면 하겠지 하면서 말이죠. 물론 그런 날이 가끔 있을 순 있겠지만, 그리고 누군가에겐 그런 날이 또 행복한 순간이 될 수 있겠지만 적어도 저에겐 아니었습니다.

또 어느 날은 쇼파 앞에 둘 거실 테이블이 있었으면 좋겠다고 생각했습니다. 쇼파에서 티비를 보면서 식사를 할 수도 있고, 간식과 커피를 먹을 수도 있는 테이블이 필요하다고 생각했습니다. 그래서 구매 전에 거실 테이블을 대체할 만한, 주방 식탁 의자로 사용하고 있는 긴 나무의자를 놓고 며칠 생활을 해봤습니다. 편하긴 했지만 공간이 생기니 신기하게 그 위로 물건이 계

속 쌓였습니다. 청소거리가 늘어난 느낌이 들었습니다. 청소기를 돌리고 물걸레질을 할 때도 잠깐 다른 곳으로 옮겼다가 다시 제자리에 놓는 행동들도 꽤 성가시다는 생각이 들었습

식탁용 의자를 이용해 거실 테이블로 이용해 봤다.

니다. 거실 테이블로 인해 편리함을 느끼는 순간도 분명 있지만, 동시에 불편함도 발생한다는 것을 깨달았습니다. 그리고 편리함 보다 제가 느끼는 불편함의 정도가 컸기에 구매하지 않기로 결정했습니다.

이처럼 어떤 물건이 필요하다고 생각하는 순간, 구매를 하기 전 이미 그 물건을 가진 사람들에게 빌려서 사용해보거나 대체할 수 있는 물건들로 생활해 보면, 우리 상상속에서만 존재하는, 이 물건을 구매했을 때 생기는 편리함뿐 아니라 상상하지 못했던 불편함도 경험할 수 있습니다. 그래서 편리함과 불편함 사이의 줄다리기를 통해 내가 어느 것을 더 가치 있게 생각하는지를 고민한 후 구매를 결정한다면, 만족도 높은 구매를 할 수 있을 것입니다.

미니멀하지 않은
미니멀리스트의
욕실

한참 미니멀 라이프에 취해 있을 때였습니다. 더욱더 홀가분해지고 싶어 여러 기능이 하나로 통합된 '올인원 제품'에 관심이 많았습니다.

특히 욕실에서의 미니멀을 꿈꿨습니다. 샴푸, 린스, 바디워시, 샤워 타올, 클렌징 폼, 치약, 칫솔 등 욕실에서 사용하는 물건들은 은근히 개수가 많습니다. 그러다 보니 샤워하는 시간도 오래 걸리고 청소하는 데도 시간이 꽤 걸렸습니다. 더불어 여행 갈 때 챙겨가야 하는 샤워용품이 많은 것도 한 몫 하였습니다. 그래서 샤워 제품을 하나로 끝낼 수 있는 올인원 제품을 알아보다가 올인원 비누바를 알게 되었습니다. 플라스틱 쓰레기가 생기지 않은 비누바를 사용하는 것이 환경에도 도움이 된다는 사실도 알게 되었습니다. 간편한데 환경에도 좋으니 사용하지 않을 수 있나요!

역시 여러 기능이 하나의 제품에 있으니 샤워하는 시간도 줄어들

현재 사용 중인 바디워시용 비누바

고, 샤워실도 깔끔해졌습니다. 환경에도 좋다니 비누바로 머리 하나 감으면서 내 자신이 꽤 근사한 사람처럼 느껴지기도 했습니다.

하지만 날로 뻣뻣해지는 머리카락을 보며 의문이 들었습니다. '미니멀 라이프도 좋고, 제로웨이스트도 좋지만 이게 맞나? 다들 괜찮다던데 왜 나만 별로인 거 같지……' 결국 더는 안되겠다 싶어 약간의 기능성이 있는 샴푸바로 바꿔보았지만, 결국 저의 머리카락은 비누바에 적응하지 못하고 다시 액체 샴푸로 돌아오고 말았습니다.

이렇게 샴푸바는 실패했지만 그 뒤로 올인원 비누는

세안제와 바디워시 대용으로 3년간 꾸준히 사용했습니다. 세안제를 따로 사용하지 않는 것 만으로도 다행으로 여기면서 말이죠. 하지만 시간이 더 지나니 저의 얼굴 피부에 조금씩 문제가 생겼습니다. 점점 수분이 부족해지고 거칠어지면서 홍조가 도는 피부가 되었습니다. 결국 피부과를 전전하며 치료를 받아야 했고, 다시 클렌징 폼으로 돌아오고 말았습니다. 물론 비누바를 쓰고도 아무런 문제가 없는 사람도 있습니다. 저희 신랑은 여전히 올인원 비누 하나로 샤워합니다. 하지만 저처럼 피부가 예민하거나 건조해지면서 쉽게 붉어지는 현상이 나타난다면, 꼭 클렌징 폼을 사용하시거나 일반 올인원 비누바가 아닌 얼굴 피부에 적합한 클렌징 전용

현재 욕실에 있는 액체 삼푸와 린스바, 그리고 샤워 타올

(약산성) 비누바를 사용하시길 추천 드립니다.

결국 미니멀 욕실을 꿈꿨던 저는 원래대로 다 돌아오고 말았지요. 현재 제 욕실에는 액체 샴푸, 린스바, 세안용 클렌징 폼, 그리고 바디워시용 올인원(이름만 올인원인) 비누바 하나가 놓여 있습니다.

이 과정을 겪으면서 간소한 라이프스타일도 좋지만, 점점 변해가는 피부에 속상해하는 저를 보며, 나이가 들면서 여성스럽고 건강한 아름다움을 지키는 것도 저에게는 참 중요하다는 것을 깨달았습니다. 일단은 손상된 피부를 회복하기 위해 클렌징 폼을 사용하곤 있지만, 환경을 위해서라도 언젠가는 저에게 맞는 샴푸바와 클렌징 바를 만나게 될 날을 기대해봅니다. 한동안은 미니멀한 욕실은 불가능해 보이지만 말입니다.

종종 미니멀 라이프를 도전하시는 분들이 숟가락 1~2개, 옷 1~2벌를 더 갖고, 안 갖고의 문제로 '미니멀은 어려워.', 혹은 '실패했어.'라고 생각하시는 경우가 있습니다. 하지만 물건의 개수가 아닌 니에게 중요한 것은 무엇인지, 그리고 내가 불필요한 것들에 얽매어 살고 있지는 않는지를 계속 질문하며 점검해 나가는 것이 건강한 미니멀 라이프의 태도가 아닐까 생각합니다.

나만의
행복 기준
만들기

매달 종류를 바꾸며 실험 중인 휴지들

전 휴지 연구자입니다. 질 좋다는 휴지는 다 써봅니다. 미니멀 라이프를 시작한 후로 휴지의 퀄리티를 중요하게 생각하게 되었습니다. 저렴하고 값싼, 최저가로 나온 휴지는 길이도 짧아서 자주 교체해 줘야 하고, 질도 좋지 않아 한 번에 많이 쓰게 됩니다. 더군다나 저는 미용 티슈 대신 두루마리 휴지를 사용하기에 코 풀 때나, 일상에서 사용할 때도 두루마리 휴지를 사용하는 편인데 저렴한 휴지를 쓰는 내내 좋지 않은 기분만 들었습니다.

그 이후로 가격이 저렴한 것보다 쓰는 내내 기분이 좋고 오래 쓸 수 있는 좋은 휴지로 교체했고 그로 인해 저의 삶의 질은 올라가는 듯했습니다.

남들에게 보이는 가방이나 옷은 예쁘고 좋은 것으로 고르면서 속옷이나 휴지, 수건 같은, 나만 보는 물건에 소홀히 했을 때가 있었습니다. 미니멀 라이프를 시작하고는 나를 위한 물건, 나를 행복하게 하고 즐겁게 하는 물건이 무엇인지 고민하기 시작했습니다.

볼일 볼 때 보송보송하고 푹신한 휴지를 사용할 때면 세상 행복합니다. 두루마리 휴지만큼은 초호화스러운 가격의 것을 고르는 이유는 오롯이 나의 행복을 위해서입니다.

누구나 자신만의 행복 기준이 있습니다. 무엇이 나를 행복하게 만드는지를 선명하고 뾰족하게 만들어야 합니다. 이것은 내 삶에 대한 의무이자 책임입니다.

욕실에 걸려 있는 휴지

여보,
나… 미니멀 라이프
하지 말까요?

장을 보러 신랑과 함께 마트에 갔습니다. 캠핑코너에 한참을 서 있는 신랑. 가까이 가보니 고기 굽는 판을 어떤 것으로 살지 한참을 고민을 합니다. 그런 모습이 귀여워 보이는 저는 아직 콩깍지가 벗겨지지 않았음에 틀림이 없습니다.

한참을 고민하고 있길래, 선택에 도움을 주려 제가 슬쩍 어떤 용도로 살려고 하는지, 크기는 알맞은 걸 생각했는지 등등 제가 물건을 구매할 때 활용하는 질문법을 신랑에게 던졌습니다. 제가 스스로에게 이런 질문을 던짐으로써 만족도 높은 구매를 해봤기 때문에 신랑에게도 도움이 될 거라고 생각했습니다.

그렇게 장을 다 본 후 마트를 나오면서 신랑이 저에게 미니멀 라이프 하면 사고 싶은 것도 마음대로 못 사냐고 투덜대더군요. 어쩌면 저의 질문이 이 물건을 사지말라는 뉘앙스로 들렸을 수도 있겠다는 생각이 들었습니다.(결

마트에서 고기판 구매를 위해 고민하는 신랑

론적으로 중요한 것은 고민하던 그 고기판은 구매를 하였습니다)

간소하고 가벼운 삶도 좋고, 만족도 높은 구매도 좋습니다. 하지만 무엇보다 제가 가장 중요하게 생각하는 우선순위는 신랑과 함께 행복하게 사는 것입니다. 그러기 위해서 미니멀 라이프를 하는 것이니까요.

깨끗하고 아늑한 집으로 돌보아 신랑과 제가 집에서 충분한 휴식을 취할 수 있는 공간을 마련하고, 적은 물건으로 집안일 하는 시간을 줄여 나의 시간을 확보하기 위해 저는 미니멀 라이프를 합니다.

하지만 저의 이런 가치관이 상대방에게 가끔은 강요

로 느껴져 불편한 마음이 일어날 수도 있겠다는 생각을 했습니다. 그래서 가끔 신랑한테 물어봅니다.

"오빠~ 나 미니멀 라이프 하지 말까요?"

그 물음에 집에 돌아오면 항상 깨끗한 우리집이 참 좋다고 합니다. 그래도 가끔 이해가 안 되는 부분도 있는데, 가령 쓰레기통을 없앤다든지, 이상하고 조그마한 다리미로 다림질을 할 때라든지, 그리고 가끔 사고 싶은 물건이 있는데 사면 안 될 것 같고, 직장에서 선물 받은 물건을 집에 가져가면 안 될 것 같은 기분이 들어 불편할 때도 있다고 합니다.

그제서야 저의 가치관을 이해하고 공감해서가 아니라, 사랑하는 와이프가 원하는 것을 해주고 싶어하는 사랑스런 신랑의 마음이 보였습니다. 가끔 물건에 대한 가치관이 서로 달라 의견차이가 있을 때도 있고, 다툴 때도 있지만 제가 미니멀 라이프를 하는 근본적인 이유를 생각하면서 신랑이 좋아하는 것을 마음껏 선택하고 소유할 수 있는, 자유로운 공간으로써의 집도 마련해주고 싶었습니다. 언제나 와이프가 하는 일이나 가치관을 존중해주려고 노력하는 신랑입니다. 저도 그런 신랑의 취향을 존중해주고 싶습니다.

편할 줄만
알았던
미니멀 라이프

저는 종이책을 참 좋아합니다. 하지만 그렇게 많은 책을 비우고 나서는 종이책을 집에 들여놓기 싫었습니다. 그래서 전자책을 주로 이용하게 되었는데, 그러다 보니 좋아하던 책 읽기가 그리 즐겁지 않았습니다.

저는 종이노트에 필기하는 것도 좋아합니다. 언젠간 정리해야지 하면서 구석에 두었던, 한가득 쌓여 있던 노트들을 힘들게 컴퓨터에 옮기는 작업을 하고 나서는 종이노트에 필기하는 습관 자체를 버리고 싶어졌습니다. 종이에 마음 속 떠오르는 것을 필기하고 싶은 마음이 생길 때가 있는데, 그때는 노트에 필기하는 대신 노트북이나 핸드폰을 켭니다. 하지만 노트북을 켜는 동안 그 생각을 놓치기도 하고, 핸드폰으로 아이디어를 끄적이는 일들이 썩 마음에 들지 않을 때가 많습니다.

제가 미니멀 라이프를 하면서 심플하게 살아가고 싶은 것은 어딘가에 얽매이지 않고 자유롭고 행복하게 살아가길 바라기 때문입니다. 그런데 물건에서 자유로워지려고 저의 행복을 참거나 외면해야 한다면 그것 또한 잘못된 방향이라는 생각이 들었습니다.

꼭 종이책이 재미를 더 주는 것은 아니지만, 종이책을 넘기는 행위자체도, 종이노트에 끄적이며 나만의 글씨체로 나의 생각을 적어내는 행위도 저에게는 즐거움이었던 것입니다.

종이책 대신 애용했던 전자책을 위한 태블릿과 오디오 북을 위한 이어폰

제 인생의 목표는 미니멀 라이프를 하는 것이 아니라 행복해지는 것입니다. 그 과정에 미니멀 라이프가 도움을 주는 것이지요. 가끔 이렇게 목표와 수단이 헷갈리는 순간이 오기도 합니다. 사실

비워내는 과정이 재미도 있었지만, 힘들기도 했었기에 다시는 그 때로 돌아가고 싶지 않다는 마음이 여전히 존재합니다. 그래서 저의 즐거움을 있는 그대로 인정하지 않으려고 하는지도 모릅니다.

하지만 미니멀 라이프의 어떤 정해진 모습을 떠올리며 그 틀에 나를 가두려 하지 말고, 나만의 미니멀 라이프를 만들어 가고 싶다는 생각을 했습니다. 나를 불편하게 하는 물건, 관계, 일에 대해 예민하게 캐치하고 비워내는 것도 중요하지만, 나를 불편하게 하는 미니멀 라이프의 모습에 대해서도 늘 더듬이를 켜고 있어야겠습니다. 저는 오늘도 나만의 미니멀 라이프를 만들어 가는 중입니다.

종이책이 그리워 도서관을 애용하는 편입니다.

자유롭기 위해
우리는 채워야 할까
비워야 할까?

자유로운 삶이란 어떤 삶일까요? 내가 먹고 싶은 게 있으면 마음껏 먹을 수 있고, 가고 싶은 곳이 있다면 언제든 갈 수 있는, 그런 삶이 자유로운 삶일까요? 예전에는 물리적 제한이 없는 삶이 자유로운 삶이라는 생각을 했습니다. 그래서 돈도 많이 벌고 싶었고, 옷도 많이 사고 싶었고, 여행도 좋은 곳으로 자주 가고 싶었습니다.

그런데 먹고 싶은 걸 마음껏 먹으면 어떻게 될까요? 행복할까요? 만족감이 클까요? 어떤 것도 제한이 없을 때는 소중함을 느끼지 못할 뿐 더러 만족감이 크지 않습니다. 무엇이든 적절하게, 아니 조금은 모자라게 먹고 마시고 노는 것이 적절한 만족감을 더욱 크게, 그리고 자주 느낄 수 있습니다.

시간이 지나면서 물리적인 자유로움보다는 마음이 자유로운 삶이 진정한 자유로운 삶이라는 생각이 듭니다. 사회적 편견, 분별력, 고정관념 등 사고의 틀에서 벗어난 생각의 자유로움이 마음의 자유로움으로 이끕니다.

남들에 대한 분별력이 강한 사람들은 옳고 그른 생각이 잘 일어납니다. 이런 사람들을 보면 굉장히 강한 사람이라는 생각이 들지만, 다른 한편으로는 남이 옳고 그르다고 생각을 하듯 다른 사람들도 나를 그렇게 판단하리라는 생각을 가지고 있기에 말과 행동이 자유롭지 못합니다. 좋고 싫음이 너무 강한 사람들도 내 마음으로 인해 이것은 이래서 싫고 저것은 저래서 싫은 이유로 가기 싫고, 보기 싫고, 하고 싶지 않은 것들이 많아집니다. 그것이 바로 마음의 감옥입니다.

마음의 자유로움이 중요한 이유는 우리의 삶이 일상으로 이루어져 있기 때문입니다. 우리는 일을 하고, 밥을 먹고, 잠을 자는 일상을 살아갑니다. 같은 환성, 같은 상황이라고 할지라도 다르게 볼 수 있는 관점의 변화가 중요하다는 것을 느낍니다. 마음이 자유로우면 행복감과 만족감이 훨씬 높아지기 때문입니다.

집에 대한 편견, 고정관념들을 내려놓고 불필요한 물건들을 비워내니 집의 본래 모습이 더 잘 보이듯이 마음의 욕심들, 편견들, 고정관념, 분별력을 내려놓을수록 나의 본래 마음 생김새가 더 잘 보였습니다.

처음에는 집에 있는 물건에서부터 시작한 생각이었지만, 자유로움에 대한 생각이 제 삶 전체로 확장되었습니다. 비움이 주는 자유로움이 너무 좋았기 때문에, 계속해서 이 자유로움을 느끼면서 살아가고 싶습니다.

명상과
미니멀 라이프의
공통점

우리는 살아가면서 과거, 현재, 미래 중 무엇을 가장 많이 생각할까요? 과거를 후회하고 미래를 걱정하느라 현재를 놓치고 살아가는 경우가 많다고 합니다.

미니멀 라이프를 하면서 제가 좋아하는 명상과 참 많이 닮아 있다는 생각이 들었습니다. 지금, 현재, 그리고 본질에 집중하는 자세입니다. 명상은 들숨과 날숨을 의식하여 우리 몸에서 숨이 들어가고 나가는 코끝에 집중하라고 합니다. 이 호흡에 집중하는 것이 바로 명상입니다. 호흡이 우리 삶의 가장 기본이기 때문입니다. 들어가고 나가는 호흡 없이는 우리에게는 어떤 고민도,

어떤 꿈도 존재하지 않습니다. 명상에서는 다른 생각과 걱정이 떠오르고, 후회가 떠오를 때도 그 생각을 그대로 두고 다시 호흡에 집중하라고 말합니다. 늘 우리를 이루는 근간, 근본에 집중하라는 의미에서 명상에서는 호흡에 중요성을 두는 것입니다.

미니멀 라이프도 마찬가지입니다. 현재 내 인생에서 가장 중요한 것이 무엇인지 알아야 에너지와 시간을 할애할 수 있습니다. 그리고 중요한 것에 집중하기 위해 불필요한 것을 비우는 것도 내 인생에서 소중하고 필요한 물건에 집중하면서 살기 위해서입니다.

'내 인생에서 가장 중요한 것은 무엇인가?', '그것을 지키기 위해서 지금, 여기서 내가 해야 하는 일은 무엇인가?'를 끊임없이 질문하고 답하게 만드는 것. 그것이 바로 제가 생각하는 미니멀 라이프입니다.

매일 아침 명상하는 자리

나만의
　　맞춤
　스케줄

　저의 한 달 달력은 조
금 특별합니다. 매달 1일
에서 시작하지 않기 때
문입니다. 저의 한 달은
매달 돌아오는 마법주간
에 따른 주기로 계획합
니다. 그래서 한 달의 시
작은 마법 주간 시작일
입니다.

**마법주간(m)을 기준으로 만든 나만
의 스케줄 노트**

　저는 마법주간(m)이
시작되기 2~3일 전부터 호르몬의 변화로 잠이 많이 오고 쉽게 피곤해집니다. 이럴 때는 무리한 일정 보다는 가능하면 여유 있게 생활하고 또 휴식하는 시간이 필요합니다. 이렇게 저만의 한 달 리듬을 만드는 것이지요.

미니멀 라이프를 시작하고 물건도 시간도 관계도 나만의 기준이 생기다 보니, 살아가는 스케줄에서도 나만의 맞춤 스케줄이 필요하다는 것을 깨달았습니다.

우리는 같이 사는 가족들의 건강과 기분 변화 패턴은 쉽게 파악을 하면서도, 나 자신에 대해서는 무심할 때가 많습니다. 나라는 사람에게 집중하다 보면 반복되는 컨디션 변화의 주기와 패턴도 쉽게 알 수 있습니다. 물론 처음에는 기록하는 것이 도움이 됩니다. 나의 컨디션을 관찰하고 기록해서 자료가 쌓이면 나의 일정한 패턴을 발견할 수 있습니다.

하지만 일을 하거나, 약속을 잡거나, 취미생활을 할 때 매번 저의 스케줄에 맞추기 어려운 경우도 있습니다. 모든 일정을 저의 스케줄에 맞추지 못하더라도 자신의 컨디션 패턴을 이해하고 있다면 체력을 관리하고, 약속을 잡고, 일상을 살아가는 과정에서 자신을 잃지 않고, 자신을 탓하지 않으면서 스스로와 잘 조율하면서 살아갈 수 있습니다.

비로소
　내 인생에
집중하게 되었다

　저는 살림을 꾸리는 주부입니다. 더불어 글을 쓰는 작가이기도 하고, 강의하는 강사이기도 합니다. 또 코칭 연구소와 그 밖의 다양한 온라인 사업을 운영하는 1인 사업가이기도 합니다.

　이렇듯 저는 여러가지 일을 하며 하루를 보내고 있습니다. 제가 이 많은 역할을 해낼 수 있는 이유는 바로 하루 기초공사를 단순하고도 탄탄하게 만들어 놓은 덕분입니다. 이 기초공사란, 하루 중 내가 꼭 해야만 하는 일을 의미합니다. 이를테면 책 읽기, 운동하기, 집안일 등 나의 역할에 의해서 주어진 일뿐 아니라 장기적으로 나에게 중요한 의미를 지닌 활동을 포함합니다.

한편, 예전에 저는 해야만 하는, 혹은 하고 싶은 일 사이에서 우선순위를 명확하게 구분 짓지 못하고 언제나 일상보다는 그 너머의 것을 꿈꾸었습니다. 원대한 꿈, 포부, 이상향 같은 것을. 다시 말해 어떤 일이 나에게 정말 중요한지를 찾기보다 그저 모든 일을 다 잘 해내고 싶었습니다. 무엇이 중요한지 모른다는 말은 저 자신을 잘 알지 못한다는 의미와도 같습니다. 당연히 저도 나에게 소중한 것은 무엇이고, 가장 하고 싶은 일은 무엇인지, 또한 나는 얼마만큼의 일을 얼마 동안 해낼 수 있는 사람인지를 잘 알지 못했습니다. 한마디로 나의 인생을 어떻게 운영하는지 방법을 몰랐습니다.

그로 인해 늦게 자고 늦게 일어나는 불규칙한 생활을 하거나, 배달 음식과 편의점 음식으로 끼니를 대신하고, 내가 생활하는 공간을 엉망으로 해 놓고 살기도 했습니다. 더불어 꿈과 포부는 크지만, 그걸 실행하기 위해 필요한 매일의 작은 계획과 실행을 무시하기도 했습니다. 이런 일상의 시간을 소홀히 하다 보니 점점 눈에 띄게 건강이 악화되고, 스트레스가 쌓이고, 결국 내가 원하지 않았던 방향으로 흘러가 버린 내 인생과 마주했습니다.

그러다 미니멀 라이프를 만나고, 나에게 무엇이 중

요한지를 알게 되면서 지금까지 보지 못했던, 내 인생에서 가장 기본적인 구성요소인 하루, 그리고 일상이라는 소중함을 놓치고 있었다는 사실을 깨달았습니다. 일상의 사전적 의미를 찾아보니 '날마다 반복되는 생활'이라는 뜻이었습니다. 항상 반복되는 일에 싫증을 잘 내던 저에게 일상의 정의는 특별하게 다가왔습니다. 모래 한 알 한 알이 모여 큰 모래사장을 형성하듯 일상의 작은 변화가 당장 내 삶에 큰 영향을 주지 않지만, 꾸준히 하루하루를 제대로 살아내는 일이야말로 제가 품었던 꿈을 실현하는 지름길임을 깨달았습니다.

따라서 소중한 일상은 최대한 단순하고, 단단하게 만드는 것이 중요합니다. 일상은 '나'라는 큰 건물을 올리기 위한 기초와 같으니까요. 이러한 이유로 미니멀 라이프는 저에게 일상의 중요함을 알려준 동시에 일상을 최대한 단순하게 만들어 그 토대 위에 내 꿈을 이룰 수 있는 하루를 세우는 방법을 알려주었습니다. 정리하자면 일상은 인생의 뼈대가 되어주고, 이를 바탕으로 나만의 시간을 채움으로써 꿈이라는 건물을 세우면 됩니다.

그렇다면 어떻게 나의 일상을 단순화할 수 있을까요? 우선 내가 매일 꼭 해야 하고, 나에게 중요한 일을 생각해 봅니다. 그리고 나의 에너지와 유용한 시간을 고려해서 비워낼 것은 비워내고 취할 것은 취합니다. 이때 중요한 것은 나의 컨디션이 최상일 때가 아닌 최저일 때를 꼭 고려해서 일의 양을 정해야 한다는 겁니다. 우리가 보통 계획을 세우고 실행하는 데 실패하는 이유는 나의 상태가 가장 좋을 때를 기준으로 삼기 때문입니다. 최저의 컨디션을 염두에 둔다면 일을 지속하는 데 도움이 될 뿐만 아니라 나에게 무엇이 더 소중한지 알 수 있습니다. 컨디션이 최저일 때에도 반드시 해야 하는 일이라면 정말 중요한 일일 테니까요. 다음으로는 일의 순서를 정하고, 마지막으로 그 일을 매일 하면 됩니다.

이렇게 매일 하는 루틴, 즉 하루의 뼈대를 만들면 나머지 시간은 저를 위한 시간으로 채우려고 합니다. 일명 '내 맘대로, 하고 싶은 일 마음껏 하는 시간'입니다. 그렇게 저로서 존재할 수 있는 시간을 알차게 보내다 보면 주부로서의 시간도 잘 보낼 수 있습니다.

이렇듯 일상을 정해진 일정으로 하루라는 건물의 기둥을 세운 후, 그 공간에 채워질 다양하고 즐겁고 신나는 일을 시도한다면 훨씬 더 풍부한 인생을 살아갈 수 있습니다.

당신이 찾는
기적은 집에서
시작된다

주부인 내가 가장 많은 시간을 보내는 곳, 우리집. 이곳이 나의 일터이자, 쉼터이자, 꿈터입니다. 그 누구도 아닌 나를 위해서 내가 지내는 공간의 변화는 절실합니다. 그리고 나와 함께 지내는 사람들을 위해서도 우리집의 변화는 절실합니다.

늘 단정한 집을 만들기는 어렵습니다. 하지만 마음만 먹으면 언제든 단정한 집을 만들 수 있다는 믿음을 갖는 것이 나와 우리 가족이 행복히게 지낼 수 있는 방법입니다. 가족들이 아무리 어질러도, 손님이 왔다 가도, 짧은 시간내에 집 상태가 원상복구될 수 있다는 믿음이 있다면 가족들과 손님들을 편안한 마음으로 대할 수 있고, 그들도 편안할 수 있기 때문입니다.

나를 위해 가능하면 집안일을 최소화하는 방법을 고민합니다. 청소하기 편하도록 각종 물건을 공중 부양시켜 보기도 하고, 물건마다 제자리를 정해 어질러진 물건이 돌아갈 곳을 만들어 둡니다. 청소도, 정리도, 요리도, 살림도 모두 편리하도록 나를 위한 공간으로 가꾸어 갑니다.

그리고 이렇게 주부로서의 편한 살림을 위한 공간이자, 나라는 사람이 꾸는 꿈을 위한 공간으로 만듭니다.

때로는 혼자 강의를 듣고 공부하는 책상으로, 신랑과 함께 식사하는 식탁으로, 주말에는 신랑이랑 같이 작업하는 공동 책상으로 사용 중인 사랑스런 우리집 식탁

주방의 식탁 위에서 밥도 먹고, 가계부도 쓰고, 꿈 노트도 쓰고, 글도 쓰고, 온라인 비즈니스도 하고 있습니다. 저녁에는 멋진 식탁으로, 또 낮에는 저를 위한 꿈의 공간으로 탄생하는 이 식탁이 참 마음에 듭니다. 이 곳에서 저는 저만의 꿈을 또 만들어갑니다.

내 삶을
바꾼
기록의 시작

저는 매일 일기를 씁니다. 하지만 대부분의 글은 비공개. 가끔 특별한 생각이나 이벤트에 대해서만 공개적으로 블로그에 글을 남깁니다. 자기 검열을 통해 가치 있다고 생각되는 것들만 남기는 것이죠.

가끔은 '내가 쓰는 글들과 내용들이 하찮은 것은 아닐까?'라는 생각에 사로잡히곤 합니다. '이런 글들이 다른 사람들에게 도움이 될까?' 하는 고민이 생깁니다.

어느 날 부모님과 함께 방문한 사진 갤러리에서 있었던 일입니다. 정말 마음에 드는 사진 작품 하나가 있어서 오래 보고 있으니, 그 작품에는 작가의 사인이 없다는 것을 발견했습니다. '다른 작품에는 있는 작가의 사인이 이 작품에는 왜 없지?' 생각하며 이유가 궁금해 졌습니다.

알고 보니 그 작품은 생전 작가에게 작품으로 선택 받지 못한 습작 중 하나로, 사후 작가의 작품을 전시하는 과정 중에 발견되어 세상에 나오게 되었던 작품이었습니다.

저는 이 습작이 참 좋았습니다. 왜 작가는 이 작품을 세상에 내놓지 않았던 걸까요? 혹시 제 글에도 그런 습작이 있지 않을까요? 스스로는 보잘것없고 하찮아 서랍 속 깊숙이 밀어 넣어버린 것들이 사실 누군가에게는 도움이 되고 또 누군가는 좋아할 수 있는 것이지 않았을까요?

미니멀 라이프를 통해 얻은 빈 시간을 이제는 저만의 기록으로 채우고 싶습니다. 요즘은 내가 관심있고 좋아하는 것들에 대한 기록이 쌓여 전문가가 되는 시대입니다. 하찮은 것과 하찮지 않은 것에 대한 선택을 먼저 하기 보다 내가 가진 것을 편견없이 부지런히 세상 밖으로 내어놓는 기록 작업에 집중해보는 건 어떨까요?

당신과 나. 우리는 이미 너무도 멋진 것을 가지고 있을지도 모릅니다. 다만 스스로에게는 그것이 작품이 아닌 습작 취급을 당하고 있을지도 모릅니다. 그러니 그저 사소한 것이라도 내가 생각하는 것, 내가 잘하는 것, 내가 매일 하는 것을 부지런히 기록하는 작업을 시작해야 합니다. 하루하루 내 삶의 기록을 위해 우리가 시간과 에너지를 내야하는 이유입니다.

부모님과 함께 간 제주도 <김영갑 갤러리 두모악>에서

내가
　정말
원하는 삶

　매일 청소하고 정리하는 게 유일한 취미생활이었던 저에게 물건이 적어지니 당연히 정리하고 청소하는 시간이 줄어들었습니다. 그렇게 빈 여백의 시간을 제가 좋아하는 것으로 채워가는 것, 이 또한 즐거운 일이었습니다.

　점점 많아지는 나의 시간에 무엇을 하고 싶은지 진지하게 고민하기 시작했습니다. 이 고민은 곧 어떻게 살아갈 것인지에 대한 고민으로 자연스럽게 이어졌습니다.

　나에게 시간적, 공간적, 물질적 한계가 없다는 조건

으로 내가 정말 원하는 것은 무엇인지 적어내려 갔습니다. 그랬더니 저에겐 건강, 경제적 독립, 나에게 의미 있는 일인 동시에 누군가에게 도움이 되는 일, 그러면서도 충분한 보상을 받을 수 있는 일을 하는 것이었습니다.

건강은 지켜야 할 중요한 일이지만 제일 먼저 소홀해지기 쉽기도 합니다. 그래서 미루지 말고 지금 당장 지켜야 합니다. 운동하러 나가기 정말 귀찮을 때는 내 인생에서 지금 운동을 하는 것보다 더 중요한 건 없다는 생각을 합니다. 그러면 정신이 좀 차려집니다. 또 건강을 위해 음식을 건강하게 챙겨 먹습니다. 마지막으로 스트레칭을 습관화하고, 좋은 자세를 유지하고, 일찍 자고 일찍 일어나는 생활습관을 기르고 있습니다.

경제적 자유가 아닌 경제적 독립을 원한다는 것은 나에게 많은 돈이 필요하지 않기 때문입니다. 미니멀 라이프를 시작하고 저를 행복하게 하는 것은 그리 많은 돈이 드는 것이 아님을 깨달았습니다. 그래서 내가 하고 싶은 일을 하면서 이 한 몸 먹이고, 재우고, 생활하면서 살아가기 위한 정도의 돈이면 충분하다고 생각합니다. 그리고 하고 싶은 일이 바로 나에게 의미 있는 일인 동시에 누군가에게 도움이 되는 일입니다. 그런 저에게는 하고 싶은 일을 할 수 있는 시간과 에너지를 확보하는 것은 중요합니다. 그래서 불필요한 것들을 비우고 중요한 일에 집중하는 삶의 방식인 미니멀 라이프가 저에게 그리 매력적인가 봅니다.

마음이 복잡하고 해야 할 일과 하고 싶은 일이 뒤죽박죽일때는 항상 본질로 돌아옵니다.

'내가 원하는 인생은 어떤 모습이지?'

'내가 살고 싶은 하루는 어떤 시간들이지?'

이 질문에 답을 하다 보면 생각이 단순해지고 해야 할 일이 명확해집니다.

이렇게 우리가 의미있다고 생각하는 일에 대해 생각하고, 고민하고, 연구하고, 실험할 시간이 필요합니다. 미니멀 라이프는 불필요한 물건, 혹은 일에 쓸 신경을 아껴 내 삶의 중요한 일에 나의 에너지를 쓸 수 있도록 도와줍니다. 이런 시간들이 쌓이니 나라는 사람이 보이기 시작했습니다. 어떤 것을 좋아하는지, 무엇을 중요하게 생각하는지, 어떻게 살아가고 싶은 사람인지, 점점 나라는 사람이 가진 욕망들이 뾰족하고 선명해지는 걸 느낄 수 있었습니다. 덕분에 정말 원하는 인생을 위한 하루를 살아갑니다.

큰 욕망 덩어리가
작은 점이
되기까지

저는 꿈이 참 많습니다. 하고 싶은 것도 많고 궁금한 것도 많습니다. 그래서 저의 꿈 노트에는 늘 하고 싶은 일 리스트가 꽉 차 있습니다. 그것들을 모두 시도해보고, 경험해보는 인생을 살아가고 싶습니다.

꿈의 영역에서도 물건 정리와 같이 선택을 해야 합니다. 저의 시간과 에너지는 한정되어 있기 때문입니다. 내가 해야 할 일과 하고 싶은 일을 구분하고 나열해서 우선 순위를 정하고, 내가 할 수 있는 일의 양을 정해, 덜 중요한 일을 비워내는 것을 선택하는 것입니다.

우선 하고 싶은 일들을 쭉 나열합니다. 그 중에서 정

말 꼭 하고 싶은 것 5가지를 고릅니다. 그리고 거기에서 다시 3가지를 고르고 마지막으로 1가지를 고릅니다. 내가 좋아하고 하고 싶은 일 중 가장 하고 싶은 일 하나를 선택하는 일.

당연한 듯 보이지만 과연 우리는 얼마나 이 우선순위를 잘 매기면서 살고 있을까요? 이 작업은 보기보다 굉장히 어렵습니다. 처음에는 내가 무엇을 원하는지 잘 알지 못하기에 그저 다 하고 싶은 마음뿐입니다. 그리고 그 일들을 해낼 수 있는 나의 에너지와 시간들을 고려하지 않고 그저 나의 마음과 의지만을 고려하는 실수를 범하기도 합니다. 그 일을 하는 사람은 나인데도 말입니다.

이 우선순위를 매기고 그중에서 가장 하고 싶은 일 한 가지를 선택하는 과정을 통해서 지금 현재 무엇이 나에게 가장 중요한지 알게 됩니다. '아, 나는 이런 게 중요한 사람이었구나.', '지금 현재 나에게 필요한 일은 이것이었구나.'를 깨닫습니다. 두루뭉술했던 나의 욕망 덩어리가 하나의 뾰죽한 작은 점이 되는 경험을 합니다. 이 작업이 반복될 수록, 그렇게 찍힌 수많은 점이 모여 어느 순간 선명한 삶의 방향표를 그리고 있음을 깨닫습니다.

우리는 가끔 힘든 일이 생기거나 혼란스러운 순간이 올 때 궁금해집니다. '나 이렇게 사는 것이 맞나?', '나 잘살고 있나?', '누가 정답을 좀 알려줬으면 좋겠다.' 하고 맙니다.

오늘 하루 용기 내어 이 뾰족한 점 하나를 찍어낼 수 있다면, 어느 순간 이 물음에 대한 답을 다른 누군가가 아닌 내 안에서 찾아낼 수 있을 것입니다. 그래서 오늘 하루도 나의 시간과 에너지를 들여 욕망의 점 하나를 뾰족하게 만들어가는 연습이 중요합니다.

꿈을
이루는
미니멀 라이프

미니멀 라이프로 꿈을 이룬다고요? 네, 저는 미니멀 라이프를 시작하고 제가 원하는 꿈들을 하나 둘 이뤄가는 중입니다. 저에게 있어 제 욕망을 선명하고 뾰족하게 만들어주는 미니멀 라이프는 제가 꿈을 이룰 수 있게 도와준 방향 표지판과 같았습니다.

저는 늘 하고 싶은 일이 많고, 꿈이 많았습니다. 그렇지만 섬섬 시간이 지나고 이른이 되어 갈수록 꿈과 현실의 괴리가 조금씩 느껴졌습니다.

미니멀 라이프를 통해 그 괴리가 바로 불필요한 일로 인해 내 인생에서 중요한 것에 집중하지 못했기 때문이라는 것을 깨달았습니다. 미니멀 라이프는 계속해서 나에게 "너의 인생에서 가장 중요한 것은 무엇이니?"라고 질문을 던집니다. 이 질문은 제가 물건을 비우면서 시작되었습니다. "이 중에서 너에게 가장 중요한 물건은 무엇이니?"라는 물음으로 시작했지만 이 질문이 인생의 전반적인 방향이 되어 버렸습니다.

예전의 저는 무언가를 쉽게 시작은 하지만 마무리를 잘 맺지 못했습니다. 그땐 싫증을 잘 내고 변덕이 심하다고만 생각했습니다. 하지만 이제 와서 생각하면 중요하지 않은 일들을 해내느라 써버린 에너지로 인해 정작 중요한 일을 지속하지 못하게 되었다는 것을 깨달았습니다. 이제는 먼저 제가 정말 원하는 일을 시작하고, 그 일을 진행하면서도 무엇이 중요한지 계속 질문하고 답을 합니다. 중간에 문제가 생기면 내가 가장 중요하게 생각하는 삶의 가치부터 다시 생각합니다. 그렇게 내가 소중하게 생각하는 가치에 부합하는 결정들을 하니, 점점 내가 원하는 삶이 만들어졌습니다.

나의 생각을 글과 말로 표현하고 싶었고, 내가 기획하고 운영하는 모임을 만들고 싶었습니다. 그래서 블로그에 글을 쓰기 시작했고, 블로그에서 모임을 함께할 사람들을 모집했습니다. 그렇게 사람들에게 내가 알게 된 미니멀 라이프에 대해 나누었고, 블로그 글을 보고 강의 의뢰도 들어왔습니다. 그렇게 강의도 하고 블로그에 쌓인 글들을 모아 출판사에 투고도 했습니다. 그렇게 결정된 저의 책 출판이 신기하기만 합니다. 이렇게 꿈을 이루게 해주는 미니멀 라이프와 함께라면 앞으로 다가올 시간들이, 그리고 저의 미래가 궁금해집니다.

당신만의
사랑스러운
욕망

우리에게 미니멀 라이프가 어려운 이유는 머릿속에 떠오르는 미니멀 라이프에 대한 이미지 때문입니다. 텅 빈 방, 하얀 인테리어, 적극적으로 응원하는 가족들. 하지만 나의 모습은 갖고 싶은 것도 많고, 우리집 인테리어는 하얗지도 않고, 나의 미니멀 라이프를 도와주지 않는 가족들이 있죠.

저의 미니멀 라이프를 보시면서 '아니, 이게 무슨 미니멀 라이프야! 이런 미니멀 라이프라면 나도 하겠는데?'라고 생각하셨나요? 그렇다면 저는 성공입니다. 사실 미니멀 라이프, 어렵지 않습니다. 다만 우리가 주변에서 흔히 접하는 미니멀 라이프의 모습이 익숙해서 어려워 보일 뿐입니다.

가볍게 살고 싶다는 마음만 있으면 가능합니다. 그 마음으로 당장 시작해보세요. 우선 확실한 쓰레기부터 먼저 비워보세요. 그리고 주방 세탁실 수납장도 열어보세요. 또 신발장을 열어 맨 위 칸부터 쭉 훑어보세요.

불필요한 것을 비워내다가 만나게 되는 홀가분함도 느껴보시고, 또 저처럼 괜히 뭔가 자꾸 비워내고 싶은 마음도 만나보세요.

그 과정에서 꾸준히 나에게 질문을 던져보세요. 지금까지 한 번도 해보지 않은 질문들을요. '우리집에 이 물건이 왜 있어야 하지?', '나는 이 집안일을 왜 해야 하지?'

미니멀 라이프에 관심이 많아서 이것저것 정보도 많이 얻고 책도 많이 보는데, 여전히 미니멀 라이프를 시작하지 못하고 있다면 또 이렇게 질문해 보세요. '나 꼭 미니멀 라이프를 해야 하나? 안 하면 안 되나? 나는 왜 미니멀 라이프를 하고 싶어하지?'

한 번에 끝내지 않아도 좋아요. 오늘 한두 개, 내일 한두 개, 이렇게 나의 욕망과 만나는 시간을 가져보세요. 그리고 그 욕망을 뾰족한 점으로 만들어보는 경험도 해보세요. 그렇게 하루하루가 쌓이면 언젠간 여러분도 여러분만의 인생 방향표가 그려져 있을 거예요.

여러분만의 미니멀 라이프를 응원합니다. 여러분만의 그 사랑스러운 욕망도 응원합니다.